Roselyne Rœsch et Rosalb͟e Rolle-Harold

Headin͟g

Écouter et comprendre

La france au quotidien

Presses universitaires de Grenoble

Conception graphique et mise en pages : Gex Mougin

Achevé d'imprimer par l'imprimerie Grapho 12
12200 Villefranche-de-Rouergue
N° d'impression : 2009020029
Dépôt légal : février 2009
Imprimé en France

© Presses universitaires de Grenoble, janvier 2009
BP 47 – 38040 Grenoble CEDEX 9
Tél. : 04 76 82 56 52 – Fax : 04 76 82 78 35
pug@pug.fr / www.pug.fr

ISBN 978-2-7061-1507-3

DANGER
LE
PHOTOCOPILLAGE
TUE LE LIVRE

Le code de la propriété intellectuelle n'autorisant, aux termes de l'article L. 122-5, 2° et 3° a, d'une part, que les « copies ou reproductions strictement réservées à l'usage privé du copiste et non destinées à une utilisation collective » et, d'autre part, que les analyses et les courtes citations dans un but d'exemple et d'illustration, « toute représentation ou reproduction intégrale ou partielle faite sans le consentement de l'auteur ou de ses ayants droit ou ayants cause est illicite » (art. L. 122-4).
Cette représentation ou reproduction, par quelque procédé que ce soit, constituerait donc une contrefaçon sanctionnée par les articles L. 335-2 et suivants du code de la propriété intellectuelle.

Avant-propos

Faire découvrir et comprendre le cadre de vie des Français, tel est l'objectif de ces documents sonores et des exploitations qui les accompagnent.

Ce matériel, faisant écho aux thèmes abordés dans l'ouvrage *La France au quotidien*, présente l'environnement des Français et leurs comportements dans la vie de tous les jours.

Les chapitres s'articulent autour de deux rubriques : *Informations* (monologues de registre standard ou soutenu) et *Échanges* (interactions de registre standard ou familier). Des indications sur le degré de difficulté des rubriques (de une à trois étoiles) sont des repères pour les étudiants comme pour les enseignants mais ne définissent pas précisément un niveau.

Les exploitations des documents sonores, à travers des QCM (Questions à Choix Multiples), des questions ouvertes, des exercices lexicaux, permettent de découvrir ou de mettre à jour des connaissances dans le domaine de la civilisation et de s'entraîner à la compréhension orale. L'exploitation des transcriptions complète cette approche à partir d'un support écrit.

Les enseignants trouveront dans les différentes rubriques des documents sonores à utiliser parallèlement au manuel *La France au quotidien* ou en complément de toute autre méthode.
Les étudiants pourront s'autoévaluer grâce aux corrigés et aux transcriptions.

Dans le catalogue FLE des PUG

MÉTHODES

Je lis, j'écris le français
Méthode d'alphabétisation
pour adultes
M. Barthe, B. Chovelon, 2004

Je parle, je pratique le français
Post-alphabétisation pour adultes
M. Barthe, B. Chovelon, 2005

À propos A1
C. Andant, C. Metton,
A. Nachon, F. Nugue, 2009
Livre de l'élève (CD inclus) –
Guide pédagogique – Cahier
d'exercices (CD inclus)

À propos B1-B2
C. Andant, M.-L. Chalaron, 2005
Livre de l'élève – Livre du
professeur – Cahier d'exercices –
Coffret 2 CD audio

GRAMMAIRE ET STYLE

Présent, passé, futur
D. Abry, M.-L. Chalaron,
J. Van Eibergen
Manuel avec corrigés
des exercices, 1987

La grammaire autrement
M.-L. Chalaron, R. Rœsch
Manuel avec corrigés
des exercices, 1984

**La grammaire des premiers
temps**
Volume 1: niveaux A1-A2, 2000
Volume 2: niveaux A2-B1, 2003
D. Abry, M.-L. Chalaron
Manuel – Corrigés des exercices
avec la transcription des textes
du CD – CD 90 mn

L'Exercisier (2ᵉ éd.).
Manuel d'expression française
C. Descotes-Genon,
M.-H. Morsel, C. Richou, 2006
Manuel – Corrigés des exercices

**L'expression française
écrite et orale**
Ch. Abbadie, B. Chovelon,
M.-H. Morsel, 2003
Manuel – Corrigés des exercices

Expression et style
M. Barthe, B. Chovelon, 2002
Manuel – Corrigés des exercices

VOCABULAIRE ET EXPRESSION

Livres ouverts
M.-H. Estéoule-Exel,
S. Regnat Ravier, 2008
Livre de l'élève – Guide
pédagogique

Dites-moi un peu. *Méthode
pratique de français oral*
K. Ulm, A.-M. Hingue, 2005
Manuel – Guide pédagogique

Émotions-Sentiments
C. Cavalla, E. Crozier, 2005
Livre de l'élève (CD inclus) –
Corrigés des exercices

Le français par les textes
I: niveaux A2-B1, 2003
II: niveaux B1-B2, 2003
Corrigés des exercices I, 2006
Corrigés des exercices II, 2006
M. Barthe, B. Chovelon,
A.-M. Philogone

Lectures d'auteurs
M. Barthe, B. Chovelon, 2005
Manuel – Corrigés des exercices

Le chemin des mots
D. Dumarest, M.-H. Morsel, 2004
Manuel – Corrigés des exercices

CIVILISATION

La France au quotidien (3ᵉ éd.)
R. Rœsch, R. Rolle-Harold, 2008
Manuel – Coffret 2 CD audio

La France des régions
R. Bourgeois, S. Eurin, 2001

La France des institutions
R. Bourgeois, P. Terrone, 2004

FRANÇAIS SUR OBJECTIF SPÉCIFIQUE

**Le français des médecins.
40 vidéos pour communiquer
à l'hôpital** (DVD-ROM inclus)
T. Fassier, S. Talavera-Goy, 2008

Le français du monde du travail
(nouvelle édition)
E. Cloose, 2009

**Les combines du téléphone
fixe et portable**
(nouvelle édition, CD inclus)
J. Lamoureux, 2009

Le français pour les sciences
J. Tolas, 2004

ENTRAÎNEMENT AUX EXAMENS

Lire la presse
B. Chovelon, M.-H. Morsel, 2005
Manuel – Corrigés des exercices

**Le résumé, le compte rendu,
la synthèse**
Guide d'entraînement
aux examens et concours
B. Chovelon, M.-H. Morsel, 2003
Manuel avec corrigés
des exercices

Cinq sur cinq. *Évaluation de la
compréhension orale au niveau B2
du CECR* (CD inclus)
R. Rœsch, R. Rolle-Harold, 2006

DIDACTIQUE ET ORGANISATION DES ÉTUDES

**Cours de didactique du français
langue étrangère et seconde**
(2ᵉ éd.)
J.-P. Cuq, I. Gruca, 2005

**Nouvelle donne pour les
Centres universitaires de
français langue étrangère**
ADCUEFE, 2004

**Diplômes universitaires en
langue et culture françaises**
ADCUEFE, 2004

**L'enseignement-apprentissage
du français langue étrangère
en milieu homoglotte**
ADCUEFE, 2006

Des langues et des médias
W. Bufe, H. W. Giessen (dir.), 2003

Exercices

La France

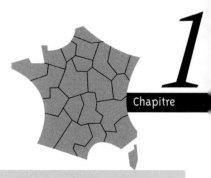

Chapitre 1

Découvrir et comprendre

■ **Les Celtes** : nom d'un groupe de peuples indo-européens venus d'Allemagne qui ont fait leur apparition au deuxième millénaire et qui ont occupé, entre autres, la Gaule, la Grande-Bretagne, l'Espagne, l'Italie du Nord.

■ **Les Gaulois** : mot inventé par les Romains pour désigner les Celtes habitant un territoire compris entre les Pyrénées, les Alpes et le Rhin.

■ **Un dialecte** : forme régionale d'une langue considérée comme un système en soi.

■ **Richelieu** : Armand Jean du Plessis de Richelieu (1585-1642), cardinal et duc, fut un célèbre ministre du roi Louis XIII.

■ **Le Moyen Âge** : période comprise entre l'Antiquité et les temps modernes, limitée par la chute de l'Empire romain d'occident (476) et la prise de Constantinople par les Turcs (1453).

Échange**

■ Compréhension guidée

Situation : Vous allez entendre une personne interrogée sur sa région d'origine.

Lisez les questions ci-dessous puis écoutez et répondez.

❶ Dans quelle région a-t-elle vécu dans son enfance et son adolescence ?

....

❷ Où a-t-elle habité à partir de ses 17 ans ?

....

❸ Que lui manque-t-il depuis qu'elle habite Grenoble ?

....

❹ Qu'est-ce qui caractérise la vieille ville de Nice ?

....

❺ Donnez les points communs à Nice et à Grenoble en matière de :

a. environnement ....

b. immobilier ....

⑥ Quelles sont les différences entre Nice et Grenoble en matière de population ?

....

⑦ Souhaite-t-elle retourner vivre dans la région où elle est née ? Pourquoi ?

....

⑧ Quelle est la réputation des habitants de cette région ? Est-elle justifiée ?

....

■ Enrichissement lexical

A. Choisissez les mots ou expressions de sens équivalent aux mots ou expressions entendus.

❶ Une ville pittoresque
- ☐ **a.** Une ville qui est habitée par de nombreux peintres
- ☐ **b.** Une ville qui est fréquentée par de nombreux touristes
- ☐ **c.** Une ville qui a un aspect original

❷ Être extravagant
- ☐ **a.** Être excentrique
- ☐ **b.** Être extraordinaire
- ☐ **c.** Être surprenant

❸ Insularité
- ☐ **a.** Population d'une île
- ☐ **b.** Caractère propre à une île
- ☐ **c.** Configuration d'une île

❹ Alimenter un cliché
- ☐ **a.** Entretenir une image
- ☐ **b.** Modifier une image
- ☐ **c.** Donner une mauvaise image

B. Complétez les phrases suivantes avec les mots donnés. Vous pouvez consulter un dictionnaire.

Verbe	Substantif
manquer	manque (m)
manquer (impersonnel)	manquement (m)

a. Ses échecs sont dus à .... de travail évident.

b. Les associations de consommateurs ont relevé de graves .... à la législation européenne.

c. Je n'ai pas pu acheter de pain, ... 30 centimes.

d. Je n'irai pas à ce dîner, ça m'ennuie, ... de temps et d'énergie.

e. Il faut que je me repose, ... de sommeil ne me permet plus d'être opérationnel.

f. Ce qui lui .... le plus depuis qu'il a quitté sa famille, c'est la cuisine de sa mère.

g. .... un bouton à ta chemise !

h. Pendant toute cette année passée à l'étranger, ma famille et mes amis ....mais je crois que je leur ....aussi.

i. Si tu traînes encore, ...ton train, c'est certain.

j. Dorénavant, tous .... à la loi seront sanctionnés.

Information***

■ Compréhension guidée

> Situation : Vous allez entendre une information retraçant les différentes étapes de l'évolution de la langue française.

Lisez les énoncés ci-dessous puis écoutez l'enregistrement. Dites si ces énoncés sont vrais, faux, ou bien si le texte ne permet pas de le savoir. Mettez une croix dans la case qui convient.

	Vrai	Faux	On ne peut pas savoir.
1. L'actuelle langue bretonne est identique à la langue parlée par les Gaulois.			
2. Il existe peu de textes écrits dans la langue des Gaulois.			
3. Ce sont les Romains qui ont introduit le latin en Gaule.			
4. Au IIIᵉ siècle, les Francs ont combattu les Romains sur le territoire de la Gaule.			
5. La langue germanique a remplacé le latin.			
6. Seuls le roi et son entourage pouvaient parler le francien.			
7. Le francien était également une langue écrite.			
8. À la fin du Moyen Âge, il existait deux dialectes.			
9. Les langues d'oïl et d'oc étaient parlées au nord de la France.			
10. Le français devient langue officielle en 1639.			
11. François Iᵉʳ rend obligatoire la rédaction des textes officiels en français.			
12. Au Moyen Âge, le français était parlé par la noblesse anglaise.			
13. C'est l'Académie française qui a rédigé le premier dictionnaire de la langue française.			
14. À la fin du XIXᵉ siècle, il était interdit de parler le dialecte à l'école.			
15. En 2008, l'État français a reconnu officiellement l'importance des langues régionales.			

Complétez les phrases suivantes avec les mots donnés. Vous pouvez consulter un diction-naire.

❶

Verbe	Substantif
envahir	invasion (f.)
	envahisseur (m.)

a. Il est difficile de se débarrasser des mauvaises herbes qui.................... le jardin.

b. Le film raconte les aventures d'un enfant luttant contre .... extra-terrestres venus d'une planète inconnue.

c. En été, ce village médiéval .... par les touristes.

d. Les cultures ont été ravagées par .... de sauterelles.

❷

Verbe	Substantif
conquérir	conquête (f.)
	conquérant (m.)

a. Dès qu'il est entré dans l'entreprise, il s'est comporté en..........., ce qui a déplu au personnel.

b. Son sourire et sa gentillesse .... toute la famille.

c. Elle est venue nous présenter sa nouvelle ....

d. Au XXᵉ siècle, les femmes .... plus de liberté que lors des siècles précédents.

e. C'est un homme actif et ambitieux, avec un caractère de ....

f. En 1492, Christophe Colomb est parti à ....d'un nouveau monde.

❸

Substantif	Adjectif
prestige (m.)	prestigieux (m.)
	prestigieuse (f.)

a. Il s'est engagé dans l'armée pour .... de l'uniforme.

b. C'est un comédien talentueux qui a obtenu de nombreuses récompenses ....

c. C'est un homme respectable qui jouit d'un grand .... auprès de la population.

d. Il y a certains vins .... dont la simple évocation du nom fait rêver.

Chapitre

Découvrir et comprendre

■ **Mars** : dieu de la guerre chez les Romains, fils de Jupiter et de Junon. Il prend place parmi les plus grands dieux romains.

■ **Convention nationale** : nom donné à l'assemblée, qui a siégé du 20 septembre 1792 au 26 octobre 1795. La Convention a assuré le pouvoir exécutif de la première République française après l'abolition de la monarchie.

■ **Napoléon Bonaparte** : empereur des Français, sous le nom de Napoléon Ier, de 1804 à 1815. Il est à l'origine du code civil qui a inspiré le système juridique de nombreux pays.

■ **Un dicton (ou un proverbe)** : formule qui exprime un conseil ou une expérience vérifiée. *Exemple :* En avril ne te découvre pas d'un fil, en mai fait ce qu'il te plaît.

Échange*

■ Compréhension guidée

Situation : Vous allez entendre l'interview d'une femme qui évoque différents événements de l'année.

A. Prenez connaissance du tableau ci-dessous, puis écoutez l'enregistrement et complétez ensuite le tableau. Si le texte ne permet pas de répondre, mettez un point d'interrogation. Écoutez une seconde fois pour vérifier vos réponses.

	Événements évoqués par les deux personnes	Dates
Événements sportifs	–	
	–	
Événements culturels	–	
	–	
	–	
	–	

Fêtes	– – – –	

B. Répondez aux questions suivantes.

❶ Que se passe-t-il lors des journées du patrimoine ?

....

❷ Qu'évoquent les fêtes et les manifestations populaires pour la personne interrogée ?

....

❸ Citez les spécialités qu'elle associe aux fêtes qu'elle mentionne.

....

■ Enrichissement lexical

A. Choisissez les mots ou expressions de sens équivalent aux mots ou expressions entendus.

❶ L'année civile
☐ **a.** Période qui correspond à l'année scolaire
☐ **b.** Période d'un an qui commence le jour de la fête nationale
☐ **c.** Période qui commence le 1er janvier et finit le 31 décembre

❷ Un tournoi
☐ **a.** Une compétition en plusieurs manches
☐ **b.** Une compétition en un tour
☐ **c.** Une compétition de championnat

❸ Un événement marquant
☐ **a.** Un événement inintéressant
☐ **b.** Un événement important
☐ **c.** Un événement insignifiant

❹ Un patrimoine
☐ **a.** Les biens dont on a hérité
☐ **b.** Les biens que l'on a acquis par le travail
☐ **c.** Les biens que l'on donne à la patrie

B. Complétez les phrases suivantes avec les mots proposés. Vous pouvez consulter un dictionnaire.

❶

Verbe	Substantif	Adjectif
évoquer	évocation (f.)	évocateur (m.) évocatrice (f.)

a. Le film est une parfaite .... des années 80.

b. Le ministre a annoncé la tenue d'une réunion pour .... l'avenir des relations entre les différents partenaires économiques.

c. Les publicités présentent souvent des images .... d'un bonheur facile.

d. C'est un mot .... de souvenirs anciens et presque oubliés.

e. L'exposition consacrée à Picasso .... les différentes périodes de sa vie.

❷

Verbe	Substantif
échapper/s'échapper	échappatoire (f.)

a. Le suspect a profité d'un moment de confusion pour .... aux policiers.

b. Trois jours de thalasso : un moyen de .... du quotidien sans partir trop loin.

c. Ils sont tombés nez à nez, aucune .... possible, ils ont dû se saluer malgré leurs différents.

d. La musique est pour lui .... à ses problèmes existentiels.

Information***

■ Compréhension guidée

Situation : Vous allez entendre une personne qui présente les différentes étapes de la création du calendrier.

A. Lisez les questions, puis écoutez l'enregistrement et répondez ensuite aux questions. Écoutez une seconde fois pour compléter et vérifier vos réponses.

❶ Quelles étaient les caractéristiques du calendrier romain avant Jules César ?

a. ....

b. ....

c. ....

❷ Quelles étaient les caractéristiques du calendrier républicain ?

a. ....

b. ....

c. ....

B. Écoutez à nouveau l'enregistrement et cochez la bonne réponse.

❶ Quand le calendrier solaire est-il apparu ?
☐ **a.** En 365   ☐ **b.** En 46 avant J.-C.   ☐ **c.** En 532

❷ Quand l'instauration d'une année bissextile est-elle devenue effective pour un grand nombre d'états ?
☐ **a.** Sous le règne de Jules César   ☐ **b.** Sous le règne de Napoléon   ☐ **c.** Au XXᵉ siècle

❸ Pourquoi Napoléon a-t-il restauré le calendrier grégorien ?

☐ **a.** Parce que Napoléon n'était pas républicain.

☐ **b.** Parce que la France avait un calendrier différent des autres pays.

☐ **c.** Parce que Napoléon voulait conquérir l'Europe.

❹ Aujourd'hui encore, qu'est-ce qui montre l'origine religieuse de notre calendrier ?

☐ **a.** Chaque jour correspond à une fête religieuse.

☐ **b.** Chaque jour correspond au nom d'un saint.

☐ **c.** Chaque jour correspond à une citation religieuse.

■ Enrichissement lexical

A. Complétez les phrases suivantes avec les mots proposés. Vous pouvez consulter un dictionnaire.

❶

Substantif	Adjectif
lune (f.)	lunaire
	lunatique

a. La tempête de sable a laissé dernière elle un paysage ....

b. Il paraît que le nombre des naissances augmente les jours de pleine ....

c. Son caractère .... est très déstabilisant pour son entourage.

d. Cet enfant a des difficultés à se concentrer en classe, il est toujours dans ....

e. Il est vraiment ...., je supporte de moins en moins ses sautes d'humeur.

❷

Verbe	Adjectif
ensoleiller	solaire
	ensoleillé

a. La naissance de leur petit-fils .... leur vie.

b. Tu es toute rouge, tu aurais dû mettre de la crème ....

c. La météo a annoncé de belles journées .... pour la fin de la semaine.

d. L'énergie .... est une des principales sources d'énergie renouvelable.

B. Regardez la transcription de l'enregistrement pages 111-112 et recherchez dans le texte les mots ou expressions équivalents aux mots ci-dessous.

a. Au commencement : ....

b. Une marque : ....

c. Perfectionner : ....

d. Établir officiellement : ....

e. Établir pour la première fois : ....

f. Obliger : ....

La famille

Découvrir et comprendre

■ **Le mariage civil** : institué en 1792, il est le seul valable, en France, aux yeux de la loi, et doit précéder toute cérémonie religieuse. La loi exige la présence d'au moins un témoin majeur pour chacun des époux. Le mariage est célébré dans une salle de la mairie en présence d'un officier d'état civil (le maire ou l'un de ses adjoints). Les futurs époux doivent être majeurs (âgés d'au moins 18 ans). Le mariage n'est pas possible entre personnes du même sexe.

■ **Le mariage religieux** : la majorité des mariages religieux sont des mariages catholiques. Le remariage religieux n'est pas autorisé par l'Église catholique.

■ **Le divorce** : il ne peut être demandé qu'après six mois de mariage et nécessite l'intervention d'un juge aux affaires familiales.

■ **Le PACS (Pacte civil de solidarité)** : instauré depuis le 15 novembre 1999, le PACS est un contrat passé entre deux personnes majeures, de sexe différent ou de même sexe, pour organiser leur vie commune.

Échange**

■ Compréhension guidée

Situation : Vous allez entendre l'interview d'une femme qui parle de sa situation familiale.

A. Lisez les énoncés ci-dessous puis écoutez l'enregistrement. Dites si ces énoncés sont vrais, faux, ou bien si le texte ne permet pas de le savoir. Mettez une croix dans la case qui convient.

À propos de la femme interviewée	Vrai	Faux	On ne peut pas savoir.
1. Elle est mariée.			
2. Elle a signé un PACS.			
3. Elle cohabite avec un homme.			
4. Elle a des enfants.			
5. Son divorce s'est très mal passé.			
6. Elle porte toujours le nom de son ex-mari.			
7. Son ex-mari et elle n'étaient pas d'accord sur le montant de la pension alimentaire.			
8. C'est elle qui a demandé le divorce.			

9. Elle ne souhaite pas se marier à nouveau.			
10. Pour elle, avoir des enfants sans être mariée pose des problèmes.			
11. Son compagnon souhaiterait probablement un mariage religieux.			
12. Son mariage était un mariage religieux.			

B. Écoutez de nouveau l'enregistrement. Parmi les mots et expressions ci-dessous, soulignez ceux que vous n'avez pas entendus.
État civil – séparation – douleur – pénible – mairie – maire – négociation – alimentation – procédure – hors mariage – tradition – sacrement – religieux.

■ Enrichissement lexical

A. Complétez les phrases suivantes avec les mots proposés. Vous pouvez consulter un dictionnaire.

❶

Substantif	Verbe	Adjectif	Adverbe
mariage (m.) mari (m.) mariée (f.) marié (m.)	se marier marier	matrimonial matrimoniale	maritalement

a. Ils se sont rencontrés par l'intermédiaire d'une agence ....

b. C'était une cérémonie de .... peu conventionnelle, ... était en rose, et .... ne portait pas de cravate.

c. Finalement ils .... après avoir vécu .... pendant 10 ans.

d. Les régimes .... diffèrent d'un pays à l'autre.

e. C'est le ministre en personne, en tant que maire de la commune, qui .... la fille du préfet.

❷

Substantif	Verbe
rupture (f.)	(se) rompre

a. Ils étaient fiancés mais ils .... un mois avant leur mariage.

b. Sa compagne l'a quitté sans explication, ça a été pour lui .... très douloureuse.

c. Après la déclaration du président, il est certain que les relations diplomatiques entre les deux pays ....

d. Il skie comme un fou, un jour, il .... le cou !

e. Son discours a jeté un froid, personne n'a osé .... le silence qui a suivi.

Information***

■ Compréhension guidée

> Situation : Vous allez entendre des informations sur l'évolution de la politique familiale en France.

A. Lisez les questions ci-dessous, puis écoutez l'enregistrement et répondez ensuite aux questions. Vous pouvez arrêter l'enregistrement pour vous permettre d'écrire vos réponses. Écoutez une seconde fois pour compléter et vérifier vos réponses.

❶ Quels sont les aspects positifs pour les femmes de la loi de 1965 ?

a. ....

....

b. ....

....

❷ Quelles sont les modifications de la loi de 1966 concernant l'adoption ?

a. ....

b. ....

❸ En quoi l'autorité parentale a-t-elle été modifiée par la loi de juillet 1970 ?

....

....

❹ En 1975, la loi précise les responsabilités financières des deux époux. Donnez deux exemples.

a. ....

....

b. ....

....

❺ En quelle année la loi dite Veil a-t-elle été promulguée ? Qu'autorise-t-elle ?

....

....

B. Écoutez la fin de l'enregistrement, de 2:22 à 2:41, et complétez les phrases suivantes.

a. Aujourd'hui, la notion de famille recouvre des réalités très diverses : couple marié ou non, avec

enfant ou non, parent .... avec enfant ou famille ....

b. La famille .... n'est plus le modèle familial unique, de nouveaux types de ....
familiaux sont nés.

A. Complétez les phrases suivantes avec les mots proposés. Vous pouvez consulter un dictionnaire.

❶

Verbe	Substantif
promulguer	promulgation (f.)

a. Le président de la République vient de .... la loi votée par le parlement.

b. Les syndicats ont protesté violemment contre .... du décret réformant la durée légale du temps de travail.

c. Le décret d'application de la loi sur l'immigration .... prochainement.

❷

Substantif	Verbe
statut (m.)	statuer

a. Le gouvernement .... dans les jours à venir sur la réforme du système scolaire.

b. La modification .... de l'association semble indispensable.

c. Au cours de l'histoire, ... de l'enfant a changé, aujourd'hui il est considéré comme un individu à part entière, ayant des droits et des devoirs.

❸

Verbe	Substantif	Adverbe
joindre, se joindre	jonction (f.)	conjointement

a. Impossible de le .... par téléphone, je lui envoie un mail.

b. C'est en agissant .... qu'ils ont pu obtenir de meilleures conditions de travail.

c. La fusée a parfaitement réussi .... avec la station spatiale.

d. Si vous le désirez, nous .... à vous pour participer au cadeau de mariage de Pierre et Fabienne.

e. Les travaux de .... des deux autoroutes sont enfin terminés.

B. Regardez la transcription de l'enregistrement pages 112-113 et recherchez dans le texte les mots ou expressions de sens équivalent aux mots ci-dessous.

a. La réglementation pour la répartition et la gestion des biens entre les époux : ....
....

b. L'accord : ....

c. Un avortement : ....

d. Une période de dix ans : ....

e. Attribuer, donner : ....

f. L'unité familiale élémentaire : ....

La table

Chapitre 4

Découvrir et comprendre

■ **La Classification des vins** : En France, où la production annuelle moyenne est de 70 millions d'hectolitres, il existe quatre grades de classification, réglementés par des lois spécifiques : AOC (Appellation d'origine contrôlée), AOVDQS (Appellation d'origine vin de qualité supérieur), vin de pays, vin de table. L'appellation AOC garantit une excellente qualité de vin. Les vins de table sont des vins « de tous les jours », ils représentent 40 % à 50 % de la production française.

■ **Un traiteur** : personne ou entreprise qui prépare des repas à emporter et à consommer chez soi.

■ **Un bistrot (ou bistro)** : café ou restaurant modeste (un troquet, en français familier). *Prendre un pot au troquet du coin* signifie prendre un verre dans un café du quartier.

■ **La viande blanche** : désigne la viande de volaille, de lapin, de porc, de veau ou d'agneau par opposition à la viande rouge comme la viande de bœuf, de cheval ou de mouton. Une blanquette est un ragoût de viande blanche, par exemple de veau ou d'agneau.

■ **Les œufs à la neige** : dessert traditionnel à base de lait et d'œufs, appelé également *îles flottantes*. Les blancs d'œufs, battus en une mousse blanche (en neige) sont servis sur une crème, dite anglaise (mélange de lait, de sucre et de jaunes d'œufs).

PLAGE 7

Échange**

■ **Compréhension guidée**

Situation : Vous allez entendre deux personnes interrogées sur leurs habitudes alimentaires.

A. Lisez les questions ci-dessous, puis écoutez l'enregistrement et répondez ensuite aux questions.

	La femme	L'homme
Le petit-déjeuner		
De quoi est-il composé ?		
Le déjeuner		
Où est-il pris ?		

Le dîner		
À quelle heure dînent-ils ?		
Avec qui dînent-ils ?		
Qui prépare le repas ?		
Le week-end, les jours de fêtes		
En quoi leurs habitudes diffèrent-elles ?		

B. Écoutez à nouveau l'enregistrement et répondez aux questions.

❶ Comment la dame paie-t-elle son repas de midi ?

....

❷ Que fait l'homme avant le dîner ?

....

❸ Vont-ils souvent au restaurant ? Pourquoi ?

....

....

■ Enrichissement lexical

A. Cochez la bonne réponse.

❶ C'est copieux.
☐ **a.** C'est bon.
☐ **b.** C'est riche.
☐ **c.** C'est abondant.

❷ C'est équilibré.
☐ **a.** C'est très cher.
☐ **b.** C'est bien composé sur le plan nutritionnel.
☐ **c.** C'est d'un bon rapport qualité-prix.

❸ Mettre la main à la pâte
☐ **a.** Préparer des pâtes
☐ **b.** Participer à la préparation
☐ **c.** Mettre les mains dans la farine

B. Complétez les phrases suivantes avec les mots proposés. Vous pouvez consulter un dictionnaire.

❶

Substantif	Verbe	Adjectif
convive (m. ou f.) convivialité (f.)	convier	convivial (m.) conviviale (f.) conviviaux (m. pl.)

a. L'ensemble du personnel .... au pot de départ à la retraite du directeur administratif.

b. Le mobilier a été changé, l'aménagement a été revu, les bureaux sont beaucoup plus .... maintenant.

c. Ils ont créé un site internet vraiment ...., d'ailleurs, il est très visité.

d. Tous .... ont pris place dans la salle des fêtes, et au début du repas le père de la mariée a fait un petit discours.

e. Bien que l'habitude du grignotage se soit développée chez les jeunes ces dernières années, la traditionnelle .... du repas français ne disparaît pas.

❷

Substantif	Verbe	Adjectif
saveur (f.)	savourer	savoureux (m.) savoureuse (f.)

a. Sans épices, ce plat aurait été sans ....

b. D'après le célèbre cuisinier Brillat-Savarin, les quatre .... fondamentales du goût sont : l'acide, l'amer, le salé et le sucré.

c. La mousse au chocolat préparée selon ta recette est particulièrement ...., très onctueuse et pas trop sucrée.

d. Depuis qu'il a failli mourir, il .... chaque moment de la vie.

C. Parmi les plats ci-dessous, recherchez une recette sur internet, puis de mémoire, oralement ou par écrit, faites la liste des ingrédients et des ustensiles nécessaires à la préparation.
Le couscous – la blanquette de veau – le bœuf bourguignon – les œufs à la neige – la mousse au chocolat – une tarte.

Information**

■ Compréhension guidée

> Situation : Vous allez entendre une information sur les éléments importants entrant dans la fabrication du vin.

A. Lisez les questions ci-dessous, puis écoutez l'enregistrement et répondez ensuite aux questions.

❶ Qu'est-ce que le terroir ?

....

❷ Qu'est-ce que le cépage ?

....

❸ Quels sont les éléments qui participent à l'originalité d'un terroir ?

....

❹ Qu'est-ce qui caractérise le Gamay dans le Beaujolais ?

....

❺ Quelle est la particularité du Châteauneuf du Pape dans le Sud-Est ?

....

❻ Qu'est-ce que l'œnologie ?

....

■ Enrichissement lexical

A. Complétez les phrases avec les mots proposés. Vous pouvez consulter un dictionnaire.

❶

Substantif	Adjectif
viticulteur (m.) viticultrice (f.) viticulture (f.)	viticole

a. Le bordelais est une région .... très connue, son vignoble existait déjà avant la conquête romaine.

b. Dans le but de respecter l'environnement, de plus en plus de .... se tournent vers la culture biologique.

c. De nombreux domaines .... sont dirigés par .... car elles ont su montrer leurs talents d'œnologues et de gestionnaires.

d. Le Sud de l'Europe possède une tradition .... millénaire.

e. Pour répondre à la demande des consommateurs, ... française a su s'adapter et a privilégié la qualité à la quantité de la production.

Substantif
vigne (f.)
vignoble (m.)
vigneron (m.), synonyme de viticulteur (m.)

a. Le travail .... est devenu plus scientifique, mais il doit toujours tailler et soigner chaque pied .... tout au long de l'année.

b. Au XIXᵉ siècle, le phylloxéra a détruit une grande partie .... européen.

c. Les ceps .... , sagement alignés, sont caractéristiques des paysages provençaux.

d. Pendant les vendanges, les ramasseurs sont dispersés dans .... et travaillent dur mais souvent dans une joyeuse atmosphère.

carte d'assurance maladie

vitale

2 57 04 75 116 043 62
MOULINE
FABIENNE

EMISE LE 05/06/20

80 250 00002

Découvrir et comprendre

■ **La Sécurité sociale** : la *sécu*, dans le langage familier, est un service public de l'État, qui assure les travailleurs (assurance maladie, maternité et paternité, invalidité, vieillesse, décès, veuvage, réparation des risques professionnels). Elle verse aussi des prestations familiales et diverses autres prestations particulières, comme les aides au logement, l'allocation de rentrée scolaire et les aides aux personnes handicapées.

■ **La carte vitale** : carte d'assurance maladie nationale française. Il s'agit d'une carte à puce, de couleur verte, au format d'une carte de crédit.
La présentation de cette carte aux professionnels de santé permet un remboursement rapide. Elle dispense également de l'avance de frais sur la partie prise en charge par l'Assurance Maladie : c'est le tiers payant.

■ **Un médicament générique** : copie exacte d'un médicament de marque. Il contient le même principe actif et a le même effet thérapeutique. Il est soumis aux mêmes normes de qualité et de sécurité et coûte environ 30 % moins cher.

Échange**

■ Compréhension guidée

> Situation : Vous allez entendre un enregistrement entre un pharmacien et une cliente.

A. Lisez les énoncés ci-dessous puis écoutez l'enregistrement. Dites si ces énoncés sont vrais, faux, ou bien si le texte ne permet pas de le savoir. Mettez une croix dans la case qui convient. Écoutez une seconde fois pour compléter ou vérifier vos réponses.

	Vrai	Faux	On ne peut pas savoir.
1. Le pharmacien connaît la cliente.			
2. Le docteur Perrier a prescrit des médicaments à la patiente.			
3. Le pharmacien propose de remplacer les médicaments homéopathiques par des médicaments génériques.			
4. Des émissions télévisées incitent les gens à consommer moins de médicaments.			
5. Le budget de la Sécurité sociale est équilibré.			

B. Écoutez à nouveau l'enregistrement. Parmi les mots ou expressions proposés, soulignez ceux que vous avez entendus.

Ordinateur – remède – antipathique – biologique – molécule – ça sera pareil – efficacité – je vous les garantis – traitement – rembourser.

Enrichissement lexical

A. Cochez la ou les bonnes réponses.

❶ On doit la casser à chaque extrémité.
☐ **a.** Une ampoule
☐ **b.** Une gélule
☐ **c.** Une pastille

❷ Vous devez la diluer dans un peu d'eau.
☐ **a.** Une pastille
☐ **b.** Une poudre en sachet
☐ **c.** Une gélule

❸ Vous devez en prendre une cuillère à soupe le matin à jeun.
☐ **a.** Un comprimé
☐ **b.** Un sirop
☐ **c.** Une ampoule

❹ Vous pouvez en sucer 5 à 6 par jour.
☐ **a.** Des comprimés
☐ **b.** Des gouttes
☐ **c.** Des pastilles

❺ Il faut les faire fondre sous la langue.
☐ **a.** Des gouttes
☐ **b.** Des suppositoires
☐ **c.** Des granules

❻ Il faut en passer sur la plaie deux fois par jour.
☐ **a.** Du gel
☐ **b.** De la pommade
☐ **c.** De la crème

❼ Vous devez en mettre deux dans chaque œil, une fois par jour.
☐ **a.** Des cachets
☐ **b.** Des gouttes
☐ **c.** Des gélules

B. Complétez les phrases suivantes avec les mots proposés. Vous pouvez consulter un dictionnaire.

❶

Substantif	Verbe
prescription (f.)	prescrire

a. Le décret qui .... l'interdiction de fumer dans les lieux publics est désormais appliqué.

b. Certains médicaments peuvent être achetés sans .... médicale.

c. La Sécurité sociale incite les médecins à .... moins d'antibiotiques.

❷

Substantif	Verbe
traitement (m.)	traiter

a. Philippe devait prendre .... contre la grippe, il ne l'a pas suivi et il a fait une rechute.

b. Les parents du petit Laurent ont été condamnés pour mauvais ....

c. Le médecin de ma voisine .... ses patients uniquement par homéopathie.

d. Notre petite entreprise marche très bien, nous .... des affaires dans le monde entier.

❸

Substantif	Verbe
remboursement (m.)	rembourser

a. Ses dettes sont trop élevées, il est dans l'incapacité de les ....

b. Après l'annulation du spectacle pour cause de mauvais temps, ... du prix des billets se fera au guichet.

c. Il n'a pas encore .... de ses frais professionnels par son entreprise.

d. J'attends avec impatience ...., par mon assurance, des dépenses occasionnées par un accident de voiture.

e. Ils sont surendettés, ils ne peuvent pas faire face aux échéances qui correspondent aux ....

.... de leurs nombreux emprunts.

Information***

PLAGE 10

■ **Compréhension guidée**

Situation : Vous allez entendre une information portant sur les causes du manque de médecins en France.

A. Lisez les questions ci-dessous, puis écoutez l'enregistrement et répondez ensuite aux questions. Écoutez une seconde fois pour vérifier vos réponses et les compléter.

❶ Quelles sont les causes de la pénurie de médecins ? Donnez au moins deux exemples.

a. ....

....

b. ....

....

❷ Qu'appelle-t-on le *numerus clausus* ?

....

....

❸ Combien y avait-il de médecins en 2006 ?

....

❹ Combien y en aura-t-il en 2025 ?

....

❺ Pourquoi prévoit-on un manque de médecins dans les zones rurales ?

....

....

❻ Relevez deux exemples d'initiatives prises par des communes pour attirer de jeunes médecins.

a. ....

....

b. ....

....

B. Écoutez une troisième fois la fin de l'enregistrement, de 2:04 à 2:27, et complétez les phrases suivantes.

Le manque de médecins se fait également sentir .... pour certaines

spécialités. Les établissements .... n'hésitent pas à faire appel à des

.... étrangers, notamment des médecins originaires des pays de l'Est

de l'Europe ou d'Afrique du Nord qui ont suivi une .... dans les

universités françaises et qui envisagent .... leur activité professionnelle

en France.

◼ Enrichissement lexical

A. Choisissez les mots ou expressions de sens équivalent aux mots ou expressions entendus.

❶ Conscientes de ce problème, les communes...
☐ **a.** ... ignorent ce problème.
☐ **b.** ... connaissent ce problème.
☐ **c.** ... acceptent ce problème.

❷ Gracieusement
☐ **a.** Délicatement
☐ **b.** Élégamment
☐ **c.** Gratuitement

B. Complétez les phrases suivantes avec les mots proposés. Vous pouvez consulter un dictionnaire.

❶

Substantif	Substantif
manque (m.)	pénurie (f.)

a. L'état de santé du malade s'est aggravé à cause .... de soins.

b. En période de .... alimentaire l'aide internationale doit s'organiser de manière efficace.

c. De nouvelles sources d'énergie devraient remplacer .... de pétrole.

d. Ses résultats médiocres sont dus à .... de travail.

e. Dans les hôpitaux, ... de personnels soignants s'est aggravée depuis 10 ans.

❷

Substantif	Verbe	Adjectif
soin (m.)	soigner, se soigner	soignant/soignante soigneux/soigneuse soigné/soignée

a. Sa formation lui permet d'apporter les premiers .... aux blessés.

b. Pierre est très satisfait des peintres qui ont travaillé chez lui, leur travail était particulièrement

....

c. S'il est souvent malade, c'est parce qu'il .... mal.

d. Ce médecin va une fois par semaine dans une association caritative où il .... bénévolement les patients.

e. La maladie s'est propagée très vite parmi la population, faute de .... appropriés.

f. Mon fils est très ...., petit déjà il rangeait ses affaires avec ....

❸

Substantif	Verbe	Adjectif
hôpital (m.) hospitalisation (f.)	hospitaliser être hospitalisé	hospitalier hospitalière

a. Je trouve qu'il y a dans tous les .... une odeur caractéristique de désinfectant.

b. Le blessé a dû .... en urgence.

c. Il est ravi de rentrer chez lui après cinq mois .... dans différents services.

d. Si son état de santé s'aggrave, il faudra l'................................. rapidement.

e. Les centres .... universitaires sont chargés de la formation des futurs médecins.

f. Le secteur .... souffre d'un manque chronique de personnel.

Les loisirs

Découvrir et comprendre

■ **La CAF (Caisse d'allocation familiale)** : représente la branche famille de la Sécurité sociale. Elle propose des aides aux familles sous formes de prestations sociales (primes à la naissance ou à l'adoption, allocations familiales, allocations de rentrée scolaire, de logement, de parent isolé, de déménagement, etc.).

■ **Les allocations familiales** : aides financières qui sont versées mensuellement (sans conditions de revenu ni de nationalité) à des personnes qui assument la charge effective et permanente d'au moins deux enfants.

■ **Un comité d'entreprise (CE)** : une des institutions représentatives des personnels au sein de l'entreprise. Il gère les activités sociales et culturelles de l'entreprise, subventionnées dans certains cas, par l'employeur. Il prend en charge partiellement des activités concernant la famille des salariés (séjours de vacances, activités sportives ou culturelles…).

■ **Un chèque-vacances** : titre de paiement de 10 et 20 euros, utilisable sur l'ensemble du territoire français, pour payer les dépenses de vacances (frais de transport, d'hébergement, de restaurants, droits d'entrée des musées, des parcs de loisirs…) et bénéficier de tarifs réduits. Ils sont achetés à l'Agence nationale pour les chèques-vacances par l'entreprise qui les cède aux salariés en prenant à sa charge une part de la valeur du chèque.

Échange**

(PLAGE 11)

■ Compréhension guidée

Situation : Vous allez entendre deux amis parlant de leurs vacances respectives.

Lisez les questions ci-dessous, puis écoutez l'enregistrement et complétez ensuite le tableau. Si le texte ne vous permet pas de répondre, mettez un point d'interrogation. Écoutez une seconde fois pour vérifier vos réponses et les compléter.

Thierry et ses enfants, Roselyne	Thierry	Les enfants de Thierry	Roselyne
1. Quand sont-ils rentrés de vacances ?			
2. Où sont-ils allés ?			

3. Avec qui étaient-ils ?			
4. Combien de temps leurs vacances ont-elles duré ?			
5. De quelles aides financières ont-ils bénéficié ?			
6. Ont-ils encore des vacances à prendre ?			
7. Sont-ils satisfaits de leurs vacances ?			

■ Enrichissement lexical

A. Choisissez les mots ou expressions de sens équivalent aux mots ou expressions entendus.

❶ On a repris le boulot.
☐ **a.** On a changé de travail.
☐ **b.** On a quitté son travail.
☐ **c.** On a recommencé le travail.

❷ C'est indexé au quotient familial.
☐ **a.** C'est lié au revenu de la famille.
☐ **b.** C'est indépendant du revenu de la famille.
☐ **c.** C'est calculé sur la base des salaires de la famille.

❸ Avoir les parents sur le dos.
☐ **a.** Agir en cachette des parents.
☐ **b.** Être surveillé par les parents.
☐ **c.** S'opposer à ses parents.

❹ Une grosse boîte
☐ **a.** Une entreprise qui emploie de nombreux salariés
☐ **b.** Une entreprise connue
☐ **c.** Une entreprise qui fait des bénéfices importants

B. Classez les mots ou expressions proposés dans le registre familier ou standard.

	Familier	Standard
a. Être au chômage		
b. Les moyens étaient pas géniaux		
c. La belle famille		
d. Un ado		
e. Les gamins		
f. Avoir les parents sur le dos		

g. Les moniteurs		
h. Épuiser toutes ses vacances		
i. Le boulot		
j. C'est insupportable		
k. Une grosse boîte		
l. C'est pas donné		
m. Renouveler l'expérience		
n. Il n'y a pas de raison		

Information•••

■ **Compréhension guidée**

Situation : Vous allez entendre une information sur les loisirs des Français.

A. Lisez les questions ci-dessous, puis écoutez l'enregistrement et dites ensuite si les affirmations suivantes sont vraies, fausses, ou si le texte ne permet pas de répondre.
Écoutez une seconde fois pour vérifier vos réponses et les compléter.

	Vrai	Faux	On ne peut pas savoir.
1. Tous les Français ont 39 jours de congés par an.			
2. Le nombre de Français partant en vacances a beaucoup augmenté ces dernières années.			
3. Les cadres partent presque deux fois plus en vacances que les ouvriers.			
4. La durée des vacances d'été est en moyenne de 15 jours.			
5. Le tourisme bleu concerne essentiellement la thalassothérapie.			
6. La majorité des Français choisissent de passer leurs vacances à la campagne.			
7. Les vacances à la campagne reviennent moins cher que les vacances au bord de la mer.			
8. Le nombre de manifestations culturelles est en augmentation.			
9. La majorité des Français partent en vacances en Espagne ou en Italie.			
10. La France est le pays du monde qui accueille le plus de touristes.			

B. Réécoutez l'enregistrement et répondez aux questions suivantes.

❶ Pourquoi le tourisme vert est-il en augmentation ?

....

....

❷ Relevez des exemples qui montrent l'intérêt des Français pour le tourisme industriel et technique.

....

....

❸ Pourquoi les visites du secteur agro-alimentaire sont-elles appréciées ?

....

....

■ Enrichissement lexical

A. Choisissez les mots ou expressions de sens équivalent aux mots ou expressions entendus.

❶ Certaines catégories **d'actifs**
- ☐ **a.** Personnes qui sont à la retraite
- ☐ **b.** Personnes qui sont dynamiques
- ☐ **c.** Personnes qui ont un emploi

❷ Les sites du **littoral**
- ☐ **a.** Les sites côtiers
- ☐ **b.** Les sites à la mode
- ☐ **c.** Les sites méditerranéens

❸ Combiner
- ☐ **a.** Alterner
- ☐ **b.** Associer
- ☐ **c.** Calculer

❹ Détenir
- ☐ **a.** Conserver
- ☐ **b.** Posséder
- ☐ **c.** Obtenir

❺ Être casanier
- ☐ **a.** Aimer l'aventure
- ☐ **b.** Aimer rester chez soi
- ☐ **c.** Aimer sa maison

❻ Un pays frontalier
- ☐ **a.** Un pays européen
- ☐ **b.** Un pays proche
- ☐ **c.** Un pays limitrophe

B. Complétez les phrases suivantes avec les mots proposés. Vous pouvez consulter un dictionnaire.

Substantif	Substantif
congé (m.)	vacances (f. pl.)

a. Les salariés qui le désirent peuvent bénéficier de .... parental non rémunéré pour élever un enfant.

b. Nous avons dû changer de voiture, alors cette année pas de .... aux sports d'hiver.

c. Après son .... de maternité, elle a retrouvé son poste dans l'entreprise.

d. Il est d'un caractère plutôt indépendant, il déteste les .... en groupe.

e. De nombreux parents trouvent que les .... scolaires d'été durent trop longtemps.

f. La loi instaurant les .... payés en France date de 1936.

Les médias

LE JO... DES ÉLUS

Grenoble : l'agression du collégien était filmée...

dauphiné

SAVOIE : UN NOUVEAU DRAME DE L'IMMIGRATION CLANDESTINE

Ils étaient cachés dans un bateau

Découvrir et comprendre

■ **Le Conseil supérieur de l'audiovisuel (CSA)** : autorité administrative indépendante créée en 1989 qui garantit en France l'exercice de la liberté de communication audiovisuelle. Le CSA nomme les présidents des télévisions et des radios publiques, gère et attribue les fréquences destinées à la radio et à la télévision, veille au respect du pluralisme politique et syndical sur les antennes.

■ **La redevance audiovisuelle** : impôt dû par toute personne qui détient une télévision, que ce soit dans sa résidence principale ou secondaire. Cet impôt est collecté au bénéfice des chaînes publiques du groupe France Télévision. Une contrepartie importante de la redevance est que les longs-métrages diffusés sur les chaînes de ce groupe ne font l'objet d'aucune coupure publicitaire. Le montant de cette taxe annuelle était de 116 € en 2008.

■ **Le Monde** : journal quotidien français de référence dont la ligne éditoriale est plutôt de centre gauche. C'est un journal du soir qui paraît l'après-midi. Il est le quotidien français le plus diffusé à l'étranger.

PLAGE 13 — Échange*

■ Compréhension guidée

> Situation : Vous allez entendre une discussion entre deux personnes qui parlent de la presse.

Lisez les questions ci-dessous puis écoutez l'enregistrement. Répondez aux questions. Écoutez une seconde fois pour compléter et vérifier vos réponses.

❶ Quand Catherine a-t-elle acheté le journal *Le Monde* ?

....

❷ Pourquoi ne l'achète-t-elle pas tous les jours ? Citez deux raisons.

a. ....

b. ....

❸ Quel autre journal lit-elle ?

....

❹ Où va-t-elle lire de temps en temps ? Pourquoi ?

....

....

5 Quels magazines aime-t-elle plus particulièrement ? Pourquoi ?

....

....

6 Quelles émissions écoute-t-elle à la radio ?

....

7 Quelles émissions regarde-t-elle à la télévision ?

....

8 Pour quelle raison ne paye-t-elle pas la redevance ?

....

9 À quoi sert la redevance ?

....

■ Enrichissement lexical

A. Choisissez les mots ou expressions de sens équivalent aux mots ou expressions entendus.

1 *Le Monde*, c'est dense.
☐ **a.** C'est un journal sérieux.
☐ **b.** C'est un journal populaire.
☐ **c.** C'est un journal qui contient beaucoup d'informations.

2 Ce n'est pas très civique.
☐ **a.** Ce n'est pas un comportement de bon citoyen.
☐ **b.** Ce n'est pas très juste.
☐ **c.** Ce n'est pas un comportement admissible.

B. Complétez les phrases suivantes avec les mots proposés. Vous pouvez consulter un dictionnaire.

1

Substantif	Verbe	Adjectif
émission (f.)	émettre	émetteur (m.)
émetteur (m.)		émettrice (f.)

a. Je reçois régulièrement des courriels dont .... me sont totalement inconnus.

b. Pour les Jeux olympiques, la poste .... un très beau timbre déjà très recherché par les collectionneurs.

c. Si je peux .... un souhait pour mon anniversaire, j'aimerais que toute la famille se réunisse dans la maison de notre enfance.

d. La chaîne *Arte* diffuse .... intéressantes, c'est également la seule chaîne qui passe des films en version originale sous-titrée.

e. Pendant la seconde guerre mondiale, les résistants recevaient leurs ordres par radio depuis .... situé à Londres.

f. On vient d'annoncer .... d'une nouvelle pièce de 5 € en argent.

g. Aujourd'hui, à la télévision, ... diffusées en direct sont rares.

h. Pour toute réclamation, il faut s'adresser à la banque .... de ces chèques.

❷

Substantif	Verbe	Adjectif
programme (m.) programmateur (m.) programmatrice (f.) programmeur (m.) programmeuse (f.) programmation (f.)	programmer	programmable

a. Pour cet été, nous .... un voyage aux Antilles.

b. Je vais changer ma cafetière électrique, ... ne fonctionne plus, et je dois renoncer à mon café au réveil. C'est insupportable !

c. Quand mes grands-parents ont reçu leur graveur de DVD ...., ils ont eu beaucoup de mal à l'utiliser, la notice n'était pas très claire.

d. Cette année encore, ... du festival d'Avignon devrait surprendre par son éclectisme et son originalité.

e. Après ses études d'informatique, il a obtenu un poste de .... dans une grande société.

f. Il vaudrait mieux que .... des chaînes publiques se concertent pour proposer en début de soirée des émissions complémentaires plutôt que concurrentielles.

Information***

■ Compréhension guidée

> Situation : Vous allez entendre une information concernant les règles qui encadrent la publicité à la télévision.

Lisez les énoncés ci-dessous puis écoutez l'enregistrement. Dites si ces énoncés sont vrais, faux, ou bien si le texte ne permet pas de le savoir. Mettez une croix dans la case qui convient. Écoutez une seconde fois pour vérifier et compléter vos réponses.

	Vrai	Faux	On ne peut pas savoir.
1. Avant 1968, la publicité de marque était interdite à la télévision.			
2. La publicité télévisée est apparue en France après tous les autres pays européens.			

3. Le CSA signifie Conseil des sanctions de l'audiovisuel.			
4. Le CSA est un organisme qui contrôle la publicité dans tous les médias.			
5. La publicité ne doit pas :			
a. tromper le consommateur.			
b. montrer des images choquantes.			
c. comparer des produits.			
d. mettre en scène des enfants.			
e. inciter à la consommation de médicaments quels qu'ils soient.			
f. durer plus de 30 minutes.			
6. La publicité peut :			
a. montrer des hommes politiques.			
b. recommander certaines boissons alcoolisées.			
c. inciter à prendre des médicaments pour cesser de fumer.			
d. être diffusée au cours d'une émission.			

■ Enrichissement lexical

A. Choisissez les mots ou expressions de sens équivalent aux mots ou expressions entendus.

❶ Vanter les mérites
☐ **a.** Reconnaître des qualités
☐ **b.** Expliquer des qualités
☐ **c.** Mettre en évidence des qualités

❷ Être loyal
☐ **a.** Être correct
☐ **b.** Être honnête
☐ **c.** Être parfait

❸ Porter préjudice
☐ **a.** Causer du tort
☐ **b.** Porter un jugement négatif
☐ **c.** Porter un jugement positif

B. Complétez les phrases suivantes avec les mots proposés. Vous pouvez consulter un dictionnaire.

❶

Substantif	Adjectif	Adverbe
clandestinité (f.)	clandestin (m.) clandestine (f.)	clandestinement

a. Ils ont préparé .... leur départ.

b. Tous les jours, des passagers .... tentent de passer la frontière au péril de leur vie.

c. La police a arrêté un employeur qui exploitait une vingtaine de travailleurs ....

d. Ils refusent de vivre leur histoire d'amour dans .... , mais leur situation est délicate.

e. Il est impossible d'évaluer précisément le nombre de personnes vivant .... en France.

❷

Substantif	Verbe	Adjectif
conception (f.)	concevoir	concevable

a. Ce chef d'œuvre .... au XVIIIᵉ siècle par l'architecte royal.

b. C'est un véhicule de .... nouvelle qui roule sans carburant.

c. C'est en 1982 qu'un enfant .... par fécondation *in vitro* pour la première fois en France.

d. Quitter Paris, vivre tranquillement à la campagne, c'est un mode de vie tout à fait .... pour un certain nombre de futurs retraités.

e. Je ne peux pas .... la cuisine comme un loisir.

❸

Substantif	Adjectif
discrimination (f.)	discriminatoire

a. La loi doit s'appliquer à tous, sans ....

b. La loi punit les employeurs qui pratiqueraient une forme de .... sexuelle ou raciale.

c. Les associations jugent que les mesures concernant l'immigration sont ....

C. Regardez la transcription de l'enregistrement page 118 et recherchez dans le texte les mots ou expressions de sens équivalent aux mots suivants.

a. Tromper : ....

b. Indétectable : ....

c. Désadaptation : ....

d. Dépasser une hauteur de son : ....

L'argent

Chapitre 8

Découvrir et comprendre

■ **Un salaire** : rémunération d'un travail ou d'un service. On distingue le salaire brut du salaire net qui est la somme réellement perçue par le salarié après les prélèvements sociaux (environ 20 % du salaire brut).

■ **Un revenu** : ce qui revient à quelqu'un comme rémunération ou fruit du capital. On parle de revenus de placements financiers ou de revenus immobiliers.
Pour calculer l'impôt, l'administration fiscale prend en compte l'ensemble des revenus d'une personne ou d'un ménage (le salaire, les avantages en nature, les droits d'auteurs, les revenus fonciers, etc.).

■ **Le fisc :** ensemble des administrations chargées du recouvrement de l'impôt.

■ **Une action :** titre qui représente une fraction du capital d'une société. On parle d'actions cotées en bourse, de la baisse et de la hausse du cours d'une action.

■ **La bourse :** lieu public où se tient le marché financier.

■ **INC** (Institut national de la consommation) : établissement public, centre de ressources et d'expertise au service des consommateurs et des associations qui les représentent et les défendent. L'INC réalise des essais comparatifs et assure ainsi une information objective et exhaustive qui contribue à l'amélioration de la qualité des produits et des services.

■ **Un avantage en nature** : bien ou service fourni par l'employeur à un salarié. Un logement, un véhicule, des vêtements ou de la nourriture font partie des avantages en nature de certaines fonctions.

Échange**

■ Compréhension guidée

> Situation : Vous allez entendre l'interview de deux personnes au sujet de leurs revenus.

A. Lisez les questions ci-dessous, puis écoutez l'enregistrement et répondez ensuite aux questions concernant la situation de communication. Écoutez une deuxième fois pour vérifier vos réponses et les compléter.

❶ Les personnes interrogées sont, dans un premier temps,
☐ **a.** un peu méfiantes.
☐ **b.** disposées à parler de leurs revenus.

❷ Elles ont
☐ **a.** un niveau de vie bien différent.
☐ **b.** un niveau de vie équivalent.

❸ Quel est leur statut professionnel ?

....

❹ Comment réagissent-ils à la question sur leur éventuelle malhonnêteté ?

La femme : ....

L'homme : ....

B. Répondez aux questions suivantes concernant le contenu de l'échange. Si nécessaire, écoutez à nouveau l'enregistrement pour vérifier et compléter vos réponses.

❶ De quels revenus complémentaires

a. dispose l'homme ? ....

....

b. dispose la femme ? ....

....

❷ Relevez les avantages en nature dont bénéficie la femme.

....

❸ Relevez les avantages en nature dont bénéficie l'homme.

....

❹ Elle admet avoir déjà fraudé. Donnez deux exemples.

a. ....

b. ....

■ Enrichissement lexical

A. Choisissez les mots ou expressions de sens équivalent aux mots ou expressions entendus.

❶ Les sources de revenus
☐ **a.** L'origine des revenus
☐ **b.** Les différents revenus
☐ **c.** Le montant des revenus

❷ Un portefeuille d'actions
☐ **a.** Une attestation d'actions
☐ **b.** Un ensemble d'actions
☐ **c.** Une rémunération en actions

❸ Les droits d'auteurs
☐ **a.** Les obligations envers les auteurs
☐ **b.** Les statuts des auteurs
☐ **c.** La rémunération des auteurs

❹ Un logement de fonction
☐ **a.** Un logement à prix modéré

b. Un logement en bon état

c. Un logement mis à la disposition d'un employé

5 Je ne mange pas de ce pain-là.

a. Je ne partage pas votre opinion.

b. Je refuse ces procédés.

c. Je n'accepte pas la facilité.

B. Complétez les phrases suivantes avec les mots proposés. Vous pouvez consulter un dictionnaire.

Verbe	Verbe
frauder	tricher

a. Pour entrer dans la discothèque, il a dû .... sur son âge.

b. Malgré la multiplication des contrôles, de nombreuses personnes .... dans les transports en commun.

c. Le passager a payé une amende importante pour avoir .... la douane.

d. Elle a été sanctionnée car elle .... aux examens en copiant sur ses voisins.

e. Je ne veux plus jouer avec lui, il ne peut pas s'empêcher de ....

Information***

PLAGE 16

■ **Compréhension guidée**

Situation : Vous allez entendre une information concernant le pouvoir d'achat des Français.

Lisez les énoncés ci-dessous puis écoutez l'enregistrement. Dites si ces énoncés sont vrais, faux, ou si le texte ne permet de le savoir.

	Vrai	Faux	On ne peut pas savoir.
1. Le pouvoir d'achat des Français a baissé.			
2. C'est pour se loger que les Français dépensent le plus.			
3. Selon l'INC, le prix de certains aliments a augmenté de façon notable.			
4. L'augmentation du prix du carburant a des conséquences sur le coût des marchandises.			
5. Le prix de la consultation chez le médecin a augmenté de 2 €.			

6. À cause de la conjoncture économique, certaines professions ont le sentiment d'être en danger.			
7. Le prix des téléphones portables a diminué.			
8. La hausse des prix touche surtout les personnes qui n'ont pas d'emploi stable.			
9. Le prix des lave-linge ou des lave-vaisselle a diminué.			
10. Pour faire des économies, les Français achètent plus qu'avant des objets d'occasion.			

■ Enrichissement lexical

A. Réécoutez éventuellement l'enregistrement et choisissez les mots ou expressions de sens équivalent aux mots ou expressions entendus.

❶ L'INC **pointe** la hausse des prix.
☐ **a.** L'INC contrôle la hausse des prix.
☐ **b.** L'INC déplore la hausse des prix.
☐ **c.** L'INC met l'accent sur la hausse des prix.

❷ La voiture **grève** le budget.
☐ **a.** Les dépenses liées à la voiture alourdissent le budget des ménages.
☐ **b.** Les dépenses liées à la voiture sont mal évaluées.
☐ **c.** Les dépenses liées à la voiture allègent le budget des ménages.

❸ Le poste santé
☐ **a.** Les professions de santé
☐ **b.** Le budget consacré à la santé
☐ **c.** Le cabinet médical

❹ Les biens de première nécessité
☐ **a.** Les produits et objets les meilleurs marché
☐ **b.** Les produits et objets de toilette
☐ **c.** Les produits et objets indispensables à la vie quotidienne

❺ Les bons plans
☐ **a.** Les bonnes idées
☐ **b.** Les bons projets
☐ **c.** Les bonnes informations

B. Complétez les phrases suivantes avec les mots donnés. Vous pouvez consulter un dictionnaire.

❶

Substantif	Adjectif	Verbe Groupe verbal
progression (f.)	progressif/progressive	progresser faire des progrès

a. Il s'est entraîné sérieusement, ainsi il .... remarquables.

b. Après les inondations de ces derniers temps, on espère une amélioration .... des conditions météorologiques.

c. Pour les médecins, ... de sa maladie est inéluctable.

d. Si elle suit assidûment les cours, elle .... normalement.

❷

Substantif	Verbe
répercussion (f.)	répercuter/se répercuter

a. Leur divorce a eu de graves .... sur le comportement de leurs enfants.

b. La secrétaire doit .... les décisions de la direction auprès des différents services.

c. La chute des cours de la bourse a eu .... sur l'équilibre financier des entreprises les plus fragiles.

d. Les effets de la fatigue .... sur notre moral.

e. Ce matin, le bruit de l'explosion dans l'usine de produits chimiques .... dans toute la ville.

❸

Substantif	Verbe Groupe verbal	Adjectif
économie (f.)	économiser faire des économies	économique

a. Son salaire ne lui permet pas de .... suffisamment pour acheter un appartement.

b. Le nombre de familles qui ont des difficultés .... est en augmentation.

c. Ce cours de .... est vraiment passionnant.

d. La politique .... du gouvernement est fortement contestée par les syndicats.

e. Je renonce à partir en vacances au Japon, je ne peux pas .... que nécessite ce voyage.

f. Elle fait une grande partie de ses achats au moment des soldes, ce qui représente .... non négligeable.

g. C'est une voiture puissante donc peu ....

L'habitat

Chapitre 9

Découvrir et comprendre

■ **F3** : appartement composé de trois pièces séparées (cuisine, salle de bains et WC non compris). Dans le domaine de l'immobilier, la composition des appartements est désignée par des codes : F (Forme) ou T (Type), le chiffre indiquant le nombre de pièces principales. Un F1 (ou T1) est composé d'une pièce principale, d'une cuisine, d'une salle de bains et de WC (séparés ou non), un F2 (ou T2) de deux pièces principales, etc.

■ **Une zone pavillonnaire** : quartier situé en général à la périphérie des villes, composé de petites maisons avec jardin. En français courant, on parle de lotissement.

■ **Une copropriété** : organisation d'un immeuble ou d'un groupe d'immeubles dont la propriété est répartie entre plusieurs personnes.

■ **La taxe foncière** : impôt local dû tous les ans par les propriétaires d'un bien immobilier (appartement, maison, terrain).

■ **La taxe d'habitation** : impôt local qui s'applique à toute personne (propriétaire ou locataire) qui dispose d'un bien immobilier.

PLAGE
17

 **Échange****

■ Compréhension guidée

Situation : Vous allez entendre deux amies qui évoquent les difficultés actuelles pour se loger.

Lisez les questions ci-dessous puis écoutez l'enregistrement et choisissez la ou les réponses correctes. Écoutez une seconde fois pour vérifier et compléter vos réponses.

❶ Pourquoi la jeune femme veut-elle quitter Paris ?
☐ **a.** Parce qu'elle a quatre enfants.
☐ **b.** Parce que leur appartement est trop petit.
☐ **c.** Parce qu'elle veut vivre dans une petite ville.
☐ **d.** Parce que les prix de l'immobilier sont trop élevés.

❷ Pourquoi veut-elle habiter en province ?
☐ **a.** Parce que la vie à la campagne est plus agréable.
☐ **b.** Parce que les logements sont moins chers.
☐ **c.** Parce qu'elle pourra sortir plus facilement.
☐ **d.** Parce que les taxes sont moins élevées.

❸ Pourquoi veut-elle habiter dans le Sud-Ouest ?
- [ ] **a.** Parce que c'est une belle région.
- [ ] **b.** Parce qu'on y mange bien.
- [ ] **c.** Parce qu'elle a de la famille à proximité.
- [ ] **d.** Parce qu'il y a beaucoup d'Anglais.

❹ Quels sont les inconvénients de ce changement de vie ?
- [ ] **a.** Ces amis parisiens ne lui rendront plus visite.
- [ ] **b.** Elle risque de s'ennuyer.
- [ ] **c.** Elle ne pourra plus faire de théâtre.
- [ ] **d.** Les enfants regarderont trop la télévision.

■ Enrichissement lexical

A. Choisissez les mots ou les expressions de sens équivalent aux mots ou expressions entendus.

❶ C'est hors de question.
- [ ] **a.** C'est bien le problème.
- [ ] **b.** C'est impensable.
- [ ] **c.** C'est possible.

❷ C'est hors de prix.
- [ ] **a.** C'est très peu cher.
- [ ] **b.** C'est le juste prix.
- [ ] **c.** C'est beaucoup trop cher.

❸ S'en sortir mieux
- [ ] **a.** Mieux profiter de la vie
- [ ] **b.** Mieux équilibrer son budget
- [ ] **c.** Mieux se loger

❹ Être collée à tes beaux-parents (fam.)
- [ ] **a.** Habiter chez tes beaux-parents
- [ ] **b.** Habiter loin de tes beaux-parents
- [ ] **c.** Habiter trop près de tes beaux-parents

❺ Un coin
- [ ] **a.** Un angle
- [ ] **b.** Un endroit
- [ ] **c.** Un village

❻ Retaper une maison
- [ ] **a.** Construire une maison
- [ ] **b.** Rénover une maison
- [ ] **c.** S'installer dans une maison

B. Imitez la construction donnée dans l'exemple ci-dessous pour trouver une expression correspondant aux définitions suivantes.

Exemple : Quelque chose qui ne fonctionne plus : c'est hors d'usage.

a. Quelqu'un qui ne risque plus rien : il est ....

b. Quelqu'un qui est furieux : il est ....

c. Quelqu'un qui respire difficilement après un effort : il est ....

d. Quelque chose qui est original : c'est ....

e. Quelqu'un qui ne peut pas être tenu pour responsable : il est ....

C. Regardez la transcription de l'enregistrement pages 120-121 et recherchez dans le texte les mots ou expressions de sens équivalent aux expressions suivantes :

a. En avoir assez : ....

b. Se heurter : ....

c. Être obligé de faire quelque chose de désagréable : ....

Information***

■ Compréhension guidée

> Situation : Vous allez entendre une personne qui précise les règles à respecter pour ne pas gêner ses voisins.

Lisez le règlement ci-dessous, écoutez une fois l'enregistrement puis modifiez (barrez) et/ou complétez les propositions afin qu'elles correspondent aux règles que vous avez entendues. Écoutez une seconde fois pour vérifier et compléter vos réponses.

Règlement de copropriété
1. Il est interdit de faire du bruit après 22 heures.
....
2. Il est recommandé de fermer ses volets la nuit.
....
3. Il est demandé de fermer délicatement les portes et de porter des pantoufles chez soi.
....
4. Il est recommandé de baisser le volume sonore de la télévision à partir de 20 heures pour ne pas déranger les voisins.
....
5. Un arrêté municipal interdit, à certains moments de la journée, l'utilisation des tondeuses à gazon.
....
6. Les parents sont responsables du bruit occasionné par leurs enfants.
....
7. Il est strictement interdit de brûler des végétaux et de faire des barbecues.
....

■ Enrichissement lexical

A. Choisissez les mots ou expressions de sens équivalent aux mots ou expressions entendus.

1 Le seuil
- ☐ **a.** La limite
- ☐ **b.** L'heure
- ☐ **c.** Le bruit

2 Le tapage
- ☐ **a.** Une bagarre
- ☐ **b.** Un bruit violent
- ☐ **c.** Une dispute

3 Une tondeuse
- ☐ **a.** Une machine pour couper du bois
- ☐ **b.** Une machine pour faire des trous dans les murs
- ☐ **c.** Une machine pour couper le gazon

❹ Une débroussailleuse
- [ ] **a.** Une machine pour couper des planches en bois
- [ ] **b.** Une machine pour couper des arbustes
- [ ] **c.** Une machine pour couper de grands arbres

B. Complétez les phrases suivantes avec les mots proposés. Vous pouvez consulter un dictionnaire.

❶

Substantif	Verbe	Adjectif
importun (m.) importune (f.)	importuner	importun (m.) importune (f.)

a. Son comportement excentrique au cours de la cérémonie de mariage .... tout le monde.

b. Comme d'habitude, ils sont arrivés au moment du repas ; je ne supporte plus leurs visites ....
....

c. Avec un sourire et une plaisanterie, il a l'art de se débarrasser diplomatiquement .... qui pourraient nous gâcher le week-end.

d. Les spectateurs qui, au cinéma, font des commentaires pendant le film .... toute la salle.

❷

Verbe	Adjectif
imposer	imposant/imposante

a. Quand on arrive au sommet, la vue est .... et récompense de tous les efforts que l'on a faits.

b. Tu ne devrais pas te laisser faire, ce n'est pas à lui .... sa loi.

c. Il a été embauché grâce à ses relations, on m'a dit que son père l'................................ au poste de directeur adjoint.

d. Pour éviter toutes violences, le préfet a exigé la présence de .... service d'ordre.

C. Regardez la transcription de l'enregistrement page 121 et recherchez dans le texte les mots ou expressions de sens équivalent aux mots ou aux expressions suivantes.

a. Punir : ....

b. Qui se produit le jour : ....

c. Qui se produit la nuit : ....

d. Un bruit sec : ....

e. Soumettre à un règlement : ....

f. L'arrivée : ....

g. Augmenter : ....

h. Organiser et limiter : ....

i. Ne pas accepter : ....

Les déplacements

Chapitre 10

Découvrir et comprendre

▦ **La carte grise** : document qui permet d'identifier un véhicule. La délivrance d'une carte grise donne lieu au paiement de taxes qui diffèrent selon le type de véhicules et leur usage. Le nom officiel de la carte grise est *certification d'immatriculation*.

▦ **Le contrôle technique** : obligatoire depuis 1992, il a pour but d'améliorer l'état du parc automobile français. Ce contrôle doit être effectué par un organisme agréé dans les 6 mois qui précèdent la date du quatrième anniversaire de la première mise en circulation du véhicule.

▦ **Un procès verbal (PV dans le langage courant)** : désigne la contravention ou **l'amende** donnée à un automobiliste qui a commis une infraction au Code de la route.

PLAGE 19

Échange**

■ Compréhension guidée

Situation : Vous allez entendre deux personnes qui discutent de la sécurité routière.

Écoutez une fois l'enregistrement et dites si les énoncés suivants sont vrais, faux, ou si on ne peut pas le savoir. Écoutez une seconde fois pour vérifier et compléter vos réponses.

	Vrai	Faux	On ne peut pas savoir.
1. L'automobiliste :			
a. s'est fait *flasher* par un radar.			
b. roulait à 70 km/h au-dessus de la vitesse autorisée.			
c. avait une voiture trop polluante.			
d. a dû payer une amende.			
e. a pu s'expliquer avec la police.			
f. n'avait pas mis sa ceinture de sécurité.			
g. a subi un contrôle d'alcoolémie.			
h. avait oublié les papiers du véhicule.			
i. avait fait vérifier l'état de sa voiture récemment.			

j. dit que la police devrait être plus tolérante.			
2. Selon la dame, la répression est nécessaire pour améliorer la sécurité routière.			
3. La loi autorise au maximum cinq grammes d'alcool par litre de sang.			

■ Enrichissement lexical

A. Choisissez les mots ou expressions de sens équivalent aux mots ou expressions entendus.

❶ Un flic
☐ **a.** Une somme d'argent
☐ **b.** Un militaire
☐ **c.** Un policier

❷ Maintenant ils ne rigolent plus.
☐ **a.** Maintenant ils se moquent de nous.
☐ **b.** Maintenant c'est sérieux.
☐ **c.** Maintenant ils s'amusent.

❸ Souffler dans le ballon
☐ **a.** Être contrôlé sur sa capacité respiratoire
☐ **b.** Être contrôlé sur son acuité visuelle
☐ **c.** Être contrôlé sur son alcoolémie

B. Complétez les phrases suivantes avec les mots proposés. Vous pouvez consulter un dictionnaire.

❶

Substantif	Adjectif
excès (m.)	excessif/excessive

a. Didier a un comportement ...., il ne sait pas se contraindre.

b. Depuis qu'il a divorcé, il a tendance à faire des ....de boisson.

c. Son tempérament .... inquiète ses parents, ils craignent qu'il ne fasse de sérieuses bêtises.

d. Ses ....de langage le mettent parfois dans des situations délicates.

e. En France, ...de poids touche environ 20% des enfants.

f. Cet artiste fait l'objet d'une admiration ...., sans commune mesure avec son réel talent.

g. Cette femme a un visage d'une ....douceur.

❷

Substantif	Verbe	Adjectif
répression (f.)	réprimer	répressif/répressive

a. Les manifestations étaient interdites, et la .... policière a été particulièrement violente.

b. Quand il a entendu cette histoire, il n'a pas pu .... un fou rire.

c. Des agents de sécurité sont chargés de .... les mouvements de foule dans les stades lors de grandes rencontres sportives.

d. Le gouvernement a adopté une politique .... pour lutter contre la délinquance juvénile.

e. Les accidents de la route ont diminué grâce au caractère .... des nouvelles lois et leur stricte application.

f. Avec les ados, la discussion est parfois plus efficace que ....

Information**

■ **Compréhension guidée**

Situation : Vous allez entendre une information sur un mode de déplacement.

Lisez les questions ci-dessous, puis écoutez l'enregistrement et répondez ensuite aux questions. Écoutez une seconde fois pour vérifier vos réponses et les compléter.

❶ Quelles sont les deux solutions évoquées pour réduire le budget consacré aux déplacements ?

....

....

❷ À quelle occasion le covoiturage est-il apparu comme une vraie solution aux problèmes de déplacement ?

....

❸ En quoi consiste-t-il ?

....

❹ Donnez trois avantages du covoiturage.

a. ....

b. ....

c. ....

❺ Le covoiturage le plus fréquent concerne les déplacements entre banlieues. Pourquoi ?

....

....

6 Pourquoi le covoiturage d'entreprise est-il encouragé par les patrons ?

a. ....

b. ....

c. ....

■ Enrichissement lexical

A. Choisissez les mots ou expressions de sens équivalent aux mots ou expressions entendus.

1 La convivialité
☐ **a.** L'harmonie dans la vie de couple
☐ **b.** Le caractère chaleureux des relations entre les personnes
☐ **c.** Les relations de bon voisinage

2 La cohésion sociale
☐ **a.** La solidarité et l'intégration sociales
☐ **b.** La sécurité et la protection sociales
☐ **c.** La paix sociale

3 Atténuer la fatigue
☐ **a.** Augmenter la fatigue
☐ **b.** Supprimer la fatigue
☐ **c.** Diminuer la fatigue

4 Avoir le vent en poupe
☐ **a.** Être une solution
☐ **b.** Être poussé par le succès
☐ **c.** Être dans le vent

B. Regardez la transcription de l'enregistrement pages 122-123 et recherchez dans le texte les mots ou expressions de sens équivalent aux mots ou expressions suivantes.

a. Un combustible : ....

b. Approuver majoritairement : ....

c. Des personnes d'univers différents : ....

d. Être une solution provisoire à un problème : ....

e. Le maximum de pollution enregistré : ....

L'école

Découvrir et comprendre

■ **Le bulletin (trimestriel) :** document rempli par les professeurs de chaque discipline où sont reportés les notes et les progrès de l'élève, les appréciations et les conseils de l'enseignant.

■ **Le carnet de liaison :** carnet ou cahier dont disposent les élèves, destiné à maintenir la relation entre le collège ou le lycée et les parents.

Figurent dans ce carnet, par exemple :

— les mots d'excuse après maladie,

— les retards et les absences,

— les demandes de rendez-vous avec des professeurs,

— les sorties organisées par l'établissement,

— les dates des congés scolaires,

— les dates des réunions.

■ **Le représentant des parents d'élèves :** parent délégué élu par les parents d'élèves. Il facilite les relations entre les parents, les personnels et les chefs d'établissement, il siège au conseil d'école ou au Conseil d'administration des collèges et des lycées, il participe au conseil de classe.

■ **Le professeur principal :** au sein des équipes pédagogiques des collèges et des lycées, le professeur principal a un rôle de coordination et de synthèse pour un suivi plus personnalisé des élèves par chacun des enseignants des différentes disciplines.

■ **Le conseil de classe :** présidé par le chef d'établissement, ce conseil se réunit au moins trois fois par an. Il examine les questions pédagogiques intéressant la vie de la classe. Il est composé, entre autres, des délégués des élèves et des parents d'élèves.

PLAGE 21

Échange**

■ Compréhension guidée

Situation : Vous allez entendre un entretien entre un parent d'élève et un enseignant.

A. Lisez les questions ci-dessous, puis écoutez l'enregistrement et répondez ensuite aux questions concernant la situation de communication. Écoutez une seconde fois pour vérifier vos réponses et les compléter.

❶ La conversation se passe

☐ **a.** dans un collège.

☐ **b.** dans un lycée.

❷ À quel titre la dame rencontre-t-elle ce professeur ?

....

....

❸ Pourquoi cette dame rencontre-t-elle ce professeur précisément ?

....

....

❹ Cette rencontre est
☐ **a.** normale.
☐ **b.** exceptionnelle.

B. Répondez aux questions concernant le contenu de l'échange. Si nécessaire, écoutez à nouveau l'enregistrement pour vérifier et compléter vos réponses.

❶ Que dit le professeur au sujet du comportement de certains élèves de la classe ?

....

....

❷ Quelles solutions le professeur propose-t-il pour les élèves en difficulté ?

....

....

❸ Comment est qualifié le comportement du fils de la dame ? Que lui est-il reproché ?

....

....

❹ Que va faire la dame après la rencontre ?

....

....

■ Enrichissement lexical

A. Choisissez les mots ou expressions de sens équivalent aux mots ou expressions entendus.

❶ Prendre place
☐ **a.** Choisir une chaise
☐ **b.** Changer de place
☐ **c.** S'asseoir

❷ Avoir une double casquette
☐ **a.** Enseigner dans deux classes
☐ **b.** Avoir deux fonctions
☐ **c.** Avoir une fonction importante

❸ Prendre en charge quelqu'un
☐ **a.** S'occuper de quelqu'un
☐ **b.** Soigner quelqu'un
☐ **c.** Aider financièrement quelqu'un

❹ Ne pas être au courant
☐ **a.** Ne pas connaître la réponse
☐ **b.** Ne pas être informé
☐ **c.** Ne pas comprendre

⑤ Coller un élève
☐ **a.** Lui donner des devoirs supplémentaires
☐ **b.** L'obliger à venir à l'école en dehors des heures de cours
☐ **c.** L'exclure quelques jours de l'école

B. Écoutez à nouveau l'enregistrement et complétez les phrases suivantes.

a. Ils peuvent venir en classe le samedi, ce sont des professeurs de .... qui les prennent en charge.

b. En ce qui concerne, si je peux me permettre, mon fils, j'ai reçu son .... et j'avoue que les commentaires m'inquiètent un peu.

c. On a été obligé de .... votre fils la semaine dernière.

C. Regardez la transcription de l'enregistrement pages 123-124 et recherchez dans le texte les mots ou expressions de sens équivalent aux mots ou expressions suivantes.

a. Être remuant, nerveux : ....

b. Une aide aux enfants en difficulté à l'école : ....

c. Des absences répétées : ....

Information**

■ **Compréhension guidée**

> Situation : Vous allez entendre une personne qui explique le fonctionnement d'un établissement scolaire.

Écoutez une fois l'enregistrement et dites si les énoncés suivants sont vrais ou faux. Écoutez une seconde fois pour vérifier et compléter vos réponses.

	Vrai	Faux
1. Il s'agit d'une information sur le fonctionnement de l'administration scolaire.		
2. Toutes les institutions scolaires possèdent un règlement.		
3. Toutes les personnes qui fréquentent l'établissement doivent respecter le règlement.		
4. C'est l'administration qui décide du règlement.		
5. Si les élèves ne respectent pas le règlement, ils sont punis.		
6. Tous les établissements scolaires doivent respecter le même règlement.		
7. Le règlement intérieur doit être en accord avec la loi.		
8. Dans la classe, il est interdit d'utiliser un téléphone portable et de porter une casquette.		

9. Les collégiens peuvent aller au café entre deux cours.		
10. Les lycéens doivent obligatoirement aller en salle d'études quand un professeur est absent.		

■ Enrichissement lexical

Complétez les phrases suivantes avec les mots proposés. Vous pouvez consulter un dictionnaire.

❶

Substantif	Verbe
règlement (m.)	régler
règle (f.)	réguler
réglementation (f.)	

a. Les élèves doivent respecter le .... de leur établissement.

b. Les produits importés doivent respecter la .... européenne.

c. L'école ne peut pas à elle seule .... tous les problèmes de la société.

d. Au moment des grands départs pour les vacances d'été, il est nécessaire de .... le trafic automobile.

e. Chez moi, il était interdit de regarder la télévision après 22 heures, c'était une .... que tous les enfants devaient respecter.

❷

Substantif	Verbe
enseignant (m.)	enseigner
enseignante (f.)	
enseignement (f.)	

a. En France, la plupart des .... sont rémunérés par l'État.

b. Depuis 1882, ... est obligatoire, gratuit et laïc.

c. À l'école primaire, les professeurs .... plusieurs matières.

d. Lors du conseil de classe, les .... ont demandé l'exclusion d'un élève perturbateur.

e. Les lycéens sont descendus dans la rue pour protester contre la réforme de .... proposée par le ministre de l'Éducation nationale.

❸

Substantif	Verbe
sanction (f.)	sanctionner

a. Le conseil de discipline .... le comportement inacceptable de cet élève.

b. La .... est sévère, mais juste.

c. Cet élève turbulent a été .... pour son attitude en classe.

d. Il a eu deux heures de colle, voilà .... bien méritée !

L'enseignement supérieur

Découvrir et comprendre

■ **Le Centre régional des œuvres universitaires et scolaires (CROUS)** : il a pour vocation de favoriser l'amélioration des conditions de vie et de travail des étudiants (logement, restauration, financement des études, recherche de travail d'appoint,…). Il en existe 28 en France, sous la tutelle du Ministre chargé de l'enseignement supérieur.

■ **L'Union nationale des étudiants de France (UNEF)** : organisation étudiante représentative fondée en 1907. Son but est de permettre aux étudiants d'exprimer leurs opinions sur la gestion des infrastructures universitaires, que ce soit la recherche, la restauration universitaire, les logements étudiants, ou encore les problèmes de discrimination.

■ **Une *prépa*** : classe préparatoire aux grandes écoles (CPGE) qui est une classe d'enseignement supérieur située généralement dans les lycées. Les classes prépa sont publiques pour la plupart et préparent les élèves, en deux ans après le bac, aux concours d'admission dans des écoles prestigieuses (Écoles normales supérieures, écoles de commerce, d'ingénieurs, instituts d'études politiques, École nationale d'administration (ENA), École polytechnique (X), etc.). Elles sélectionnent les candidats sur dossiers à partir de critères essentiellement pédagogiques.

■ **Normale Sup'** : École normale supérieure (ENS). Les ENS sont des établissements d'enseignement supérieur qui assurent la formation d'étudiants dans différentes disciplines. Lorsque le terme est utilisé sans précision, il s'agit généralement de l'ENS située rue d'Ulm à Paris.

■ **Une *filière*** : dans un système scolaire, parcours qui se déroule sur plusieurs années et qui correspond à un enseignement spécifique en vue d'une orientation précise (filières littéraires, techniques, scientifiques, professionnalisantes, etc.)

■ **Un amphi** : diminutif pour amphithéâtre. Il désigne dans les universités une grande salle de cours magistral.

■ **La Sorbonne** : établissement public d'enseignement supérieur, situé à Paris, dans le Quartier latin. Le collège de La Sorbonne a été fondé au XIIIe siècle par Robert de Sorbon pour permettre aux écoliers pauvres d'accéder à l'enseignement supérieur.
La Sorbonne est devenue au cours des siècles le symbole de l'université de Paris.

Échange**

■ Compréhension guidée

Situation : Vous allez entendre une étudiante qui parle de son parcours universitaire.

Lisez les énoncés ci-dessous puis écoutez l'enregistrement. Dites si ces énoncés sont vrais, faux, ou si le texte ne permet pas de le savoir. Mettez une croix dans la case qui convient. Écoutez une seconde fois pour compléter ou vérifier vos réponses.

À propos d'Annabelle	Vrai	Faux	On ne peut pas savoir.
1. Elle prépare un master en langue et civilisation étrangères.			
2. Elle a un niveau correspondant à six années d'études dans l'enseignement supérieur.			
3. Elle s'est préparée normalement à ses examens.			
4. Elle a présenté le concours d'entrée dans une grande école.			
5. Elle a l'intention de s'inscrire en thèse.			
6. Elle voudrait être enseignante dans une université.			
7. Elle est prête à accepter n'importe quel poste dans n'importe quelle université.			
8. Elle pense qu'au lycée, les élèves sont plus encadrés qu'à l'université.			
9. Elle dit que le CROUS l'a aidée à trouver des petits boulots.			
10. Elle a adhéré à un syndicat étudiant.			
11. Il y a deux ans, elle a été élue au conseil d'administration de son université.			

■ Enrichissement lexical

A. Choisissez les mots ou expressions de sens équivalent aux mots ou expressions entendus.

❶ Soutenir sa thèse
- [ ] **a.** Être aidé pendant sa thèse
- [ ] **b.** Être financé pour rédiger sa thèse
- [ ] **c.** Présenter et défendre sa thèse

❷ Un débouché
- [ ] **a.** Une perspective d'emploi
- [ ] **b.** Une demande d'emploi
- [ ] **c.** Une offre d'emploi

B. Complétez les phrases avec les mots donnés. Vous pouvez consulter un dictionnaire.

❶

Substantif	Verbe
intégration (f.)	intégrer/s'intégrer

a. Au début, elle a eu des difficultés à .... dans sa nouvelle école.

b. Son rêve était de .... l'armée de l'air mais sa mauvaise vue a dû le faire renoncer à ce projet.

c. Les émeutes des banlieues ont révélé les difficultés .... des jeunes issus de l'immigration.

d. L'école a été critiquée pour ne pas avoir joué son rôle de ....

e. Pour trouver une solution à notre problème, il serait bon dans un premier temps de .... tous les paramètres.

❷

Substantif	Verbe
implication (f.)	impliquer/s'impliquer

a. La police a mis en évidence .... du maire dans cette affaire de corruption.

b. La fermeture de l'usine aura .... dans toute la région.

c. Son fils a été arrêté, il .... dans de nombreuses affaires suspectes dont un trafic de drogue international.

d. Il ne comprend pas pourquoi il a été licencié, il .... dans son travail dès son embauche.

e. S'il accepte ce poste, cela .... qu'il devra déménager.

❸

Substantif	Verbe
siège (m.)	siéger

a. Dans les avions, je réserve toujours .... coté hublot quand c'est possible.

b. L'accouchement s'est bien passé bien que le bébé se soit présenté par ....

c. .... officiel du parlement européen se trouve à Strasbourg.

d. .... de La Rochelle, ordonné par Louis XIII et commandé par Richelieu, a commencé le 10 septembre 1627 et s'est terminé par la capitulation de la cité, le 28 octobre 1628.

e. Il .... au conseil d'administration de plusieurs associations.

f. En l'absence d'événements particuliers, la plupart des assemblées parlementaires en Europe .... les mardis, mercredis et jeudis.

Information***

■ Compréhension guidée

Situation : Vous allez entendre une personne qui présente les principales raisons du mécontentement étudiant.

Lisez les questions, puis écoutez l'enregistrement et répondez ensuite aux questions. Écoutez une seconde fois pour compléter et vérifier vos réponses.

1 Quelles sont les deux causes principales de l'inquiétude des étudiants ?

a. ....

b. ....

2 Quelles solutions peut-on apporter pour diminuer le nombre d'étudiants qui quittent l'université sans diplôme ?

a. ....

....

b. ....

....

3 Quelles difficultés rencontrent les étudiants qui entrent à l'université ?

....

....

4 Pourquoi de nombreux étudiants ont-ils des difficultés financières ?

....

....

5 Comment peuvent-ils améliorer leur situation financière ?

....

....

6 Combien d'étudiants ont pu bénéficier d'une bourse d'étude en 2008 ?

....

7 Les mesures récentes prises par le gouvernement vont-elles apaiser les conflits ?

....

....

■ Enrichissement lexical

A. Choisissez les mots ou expressions de sens équivalent aux mots ou expressions entendus.

❶ Un malaise
- ☐ **a.** Une maladie
- ☐ **b.** Une inquiétude
- ☐ **c.** Une souffrance

❷ Un cercle vicieux
- ☐ **a.** Une situation dans laquelle on est enfermé
- ☐ **b.** Un raisonnement malhonnête
- ☐ **c.** Un raisonnement logique

❸ Octroyer une bourse
- ☐ **a.** Demander une bourse
- ☐ **b.** Accorder une bourse
- ☐ **c.** Bénéficier d'une bourse

B. Complétez les phrases suivantes avec les mots proposés. Vous pouvez consulter un dictionnaire.

❶

Substantif	Verbe
échec (m.)	échouer

a. Les négociations avec le président de l'université ...., les étudiants ont donc décidé d'occuper les amphis.

b. Elle est arrivée à la 11ᵉ place de la compétition, elle a très mal vécu ....

c. Trop d'étudiants .... en première année, ces .... coûtent cher à la collectivité.

❷

Substantif	Verbe
orientation (f.)	orienter/s'orienter

a. Ils se sont perdus dans la forêt, ils n'ont aucun sens de .... !

b. Les touristes ont beaucoup de mal à .... dans ces petites ruelles.

c. Un conseiller .... l'a aidé dans le choix de ses études.

d. Ma famille voulait que je .... vers des études de médecine mais moi, j'ai préféré l'architecture

❸

Substantif	Verbe
encadrement (m.)	encadrer

a. Pour se construire, les enfants ont vraiment besoin d'un réel ....

b. L'enquête a révélé que la mort des dix soldats est en partie due à un manque ....

c. Le personnel .... n'est pas estimé des employés.

Le travail

Découvrir et comprendre

■ **La loi sur les 35 heures** : la réforme des 35 heures est une mesure de politique économique française, mise en place par le gouvernement (de gauche) à partir de l'année 2000, fixant la durée légale du temps de travail à temps plein à 35 heures par semaine, en moyenne annuelle, au lieu de 39 heures précédemment. Une réforme visant à assouplir cette loi a été votée et validée par le Conseil constitutionnel le 7 août 2008.

■ **Le Conseil constitutionnel** : institution française qui veille à la régularité des principales élections et référendums. Il se prononce sur la conformité à la Constitution des lois et de certains règlements avant leur entrée en vigueur.

■ **Le travail le dimanche** : un salarié ne peut pas travailler plus de six jours consécutifs. Un jour de repos, au moins, doit lui être accordé chaque semaine, en principe, le dimanche. Certaines entreprises (par exemple les bars, les hôtels, les hôpitaux, les entreprises de spectacles, les musées…) sont autorisées à donner le repos hebdomadaire par roulement, ce qui leur permet ainsi de faire travailler certains de leurs salariés le dimanche.

■ **Nicolas Sarkozy** : président de la République française élu en mai 2007 pour un mandat (renouvelable) d'une durée de cinq ans.

Échange**

Compréhension guidée

Situation : Vous allez entendre deux personnes qui évoquent leur profession respective.

Lisez les questions ci-dessous, puis écoutez l'enregistrement et répondez ensuite aux questions. Si on ne peut pas savoir, mettez un point d'interrogation. Écoutez une seconde fois pour vérifier vos réponses et les compléter.

	La femme	L'homme
1. Quelle est leur profession ?		
2. Quel est leur volume horaire de travail ?	par jour	par semaine
3. Quel est le montant de leur rémunération ?		

4. Quels biens possèdent-ils ?		
5. Quels sont les avantages de leur profession ?		
6. Quels sont les inconvénients de leur profession ?		

■ Enrichissement lexical

A. Choisissez les mots ou expressions de sens équivalent aux mots ou expressions entendus.

❶ La fourchette où se situe votre rémunération
☐ **a.** Le montant maximum de votre rémunération
☐ **b.** Le montant minimum de votre rémunération
☐ **c.** L'écart entre votre rémunération minimale et votre rémunération maximale

❷ La rigidité de l'institution
☐ **a.** Le manque de rigueur de l'institution
☐ **b.** Le manque de souplesse de l'institution
☐ **c.** Le manque de sérieux de l'institution

❸ Les démarches administratives
☐ **a.** Les déplacements administratifs
☐ **b.** Les exigences de l'administration
☐ **c.** Les demandes faites auprès de l'administration

❹ Fidéliser le personnel
☐ **a.** Rendre le personnel attaché à une entreprise
☐ **b.** Embaucher du personnel fiable
☐ **c.** Être en confiance avec le personnel

B. Associez les types de rémunérations aux professions suivantes.

1	2	3	4	5	6	7	8	9

1. un médecin   **a.** un salaire
2. un fonctionnaire   **b.** un traitement
3. un avocat   **c.** une solde
4. un militaire   **d.** un cachet
5. un acteur   **e.** une pension
6. un employé   **f.** un honoraire
7. un retraité   **g.** des droits d'auteur
8. un chanteur
9. un écrivain

Information***

■ Compréhension guidée

Situation : Vous allez entendre des informations concernant la relation que les Français entretiennent avec le travail.

A. Écoutez l'enregistrement et complétez le tableau. Écoutez une seconde fois pour vérifier vos réponses.

Les conditions de travail des Français	
1. Durée légale du temps de travail instaurée en 2000.	
2. Nombre légal de semaines de vacances	
3. Nombre de jours de vacances pris en 2008.	

B. Choisissez la bonne réponse.

❶ Dans quel pays le nombre annuel des heures travaillées est le plus important ?
☐ **a.** L'Italie
☐ **b.** L'Angleterre
☐ **c.** L'Allemagne
☐ **d.** La France

❷ Quel pays a le rendement horaire le plus important ?
☐ **a.** L'Italie
☐ **b.** La Suède
☐ **c.** La France
☐ **d.** L'Allemagne

C. Cliché ou réalité ? Choisissez la bonne réponse.

Les Français :	Cliché	Réalité
1. n'aiment pas travailler.		
2. sont très souvent en grève.		
3. ont un très bon rendement à l'heure.		
4. sont toujours en vacances.		
5. considèrent le travail comme un élément important de leur développement personnel et de leur bien-être.		
6. accordent plus d'importance aux conditions de travail qu'au salaire.		

■ Enrichissement lexical

A. Choisissez la bonne réponse.

❶ Une réalité tangible
☐ **a.** Une réalité étrange
☐ **b.** Une réalité concrète
☐ **c.** Une réalité contestable

❷ L'assouplissement des règles
☐ **a.** L'aménagement des règles
☐ **b.** Le changement des règles
☐ **c.** La suppression des règles

❸ Une polémique
☐ **a.** Un échange
☐ **b.** Une controverse
☐ **c.** Une négociation

B. Complétez les phrases suivantes avec les mots proposés.

❶

Substantif	Adjectif
conflit (m.)	conflictuel (m.) conflictuelle (f.)

a. L'annonce des licenciements est à l'origine de la situation .... qui nous préoccupe.

b. Les négociations bipartites devraient éviter .... armé.

c. Les parents de grands adolescents vivent parfois mal .... de générations.

d. Au sein de ce couple, les rapports sont visiblement ....

❷

Substantif	Verbe	Adjectif
produit (m.) production (f.) productivité (f.) producteur (m.) productrice (f.)	produire	productif (m.) productive (f.) producteur (m.) productrice (f.)

a. La France et l'Italie sont les premiers pays .... de vin dans le monde.

b. Si .... de cette entreprise est insuffisante pour faire face à la concurrence, les actionnaires suggéreront de délocaliser ....

c. Sa banque lui propose des placements financiers très .... mais très risqués.

d. Il y a des races de vaches laitières plus .... que d'autres.

e. .... de fruits et légumes protestent contre les prix pratiqués dans la grande distribution.

f. .... issus de l'agriculture biologique sont malheureusement plus chers que les autres.

g. J'ai un bon scénario mais, sans ...., je ne pourrai pas réaliser mon film.

h. Pour s'inscrire à la bibliothèque il faut .... un justificatif de domicile.

i. .... de ses placements financiers représentent une partie importante de ses revenus.

j. Chaque jour, un Français .... en moyenne un kilo de déchets.

❸

Substantif	Verbe	Adjectif
rémunération (f.)	rémunérer	rémunérateur/rémunératrice

a. Il a des prétentions de .... qui ne sont pas justifiées si on considère son expérience et ses diplômes.

b. Certains employeurs font systématiquement travailler des stagiaires qu'ils .... peu ou pas du tout.

c. Le travail à domicile permet d'avoir une activité .... tout en restant chez soi.

d. Les parents rêvent très souvent pour leur enfant d'un emploi stable et ....

La France

Chapitre 1

Échange**

Compréhension guidée

1 Dans quelle région a-t-elle vécu dans son enfance et son adolescence ?
En Corse.

2 Où a-t-elle habité à partir de ses 17 ans ?
À Nice.

3 Que lui manque-t-il depuis qu'elle habite Grenoble ?
L'ambiance méditerranéenne, les couleurs, le climat, la cuisine.

4 Qu'est-ce qui caractérise la vieille ville de Nice ?
Les maisons ocres, jaunes, avec des volets verts.

5 Donnez les points communs à Nice et à Grenoble en matière de :
a. environnement : la montagne.
b. immobilier : le coût élevé.

6 Quelles sont les différences entre Nice et Grenoble en matière de population ?
À Nice, il y a de nombreux retraités et des touristes qui recherchent le bord de mer. À Grenoble, il y a beaucoup d'étudiants, de chercheurs et de·cadres.

7 Souhaite-t-elle retourner vivre dans la région où elle est née ? Pourquoi ?
Non, parce qu'il y a une mentalité particulière, une méfiance vis-à-vis des touristes.

8 Quelle est la réputation des habitants de cette région ? Est-elle justifiée ?
Ils ont la réputation non justifiée d'être violents et d'utiliser des armes à feux, mais c'est le fait d'une minorité.

Enrichissement lexical

A.

1 Une ville pittoresque
☐ a. Une ville qui est habitée par de nombreux peintres
☐ b. Une ville qui est fréquentée par de nombreux touristes
☒ c. Une ville qui a un aspect original

2 Être extravagant
☒ a. Être excentrique

☐ b. Être extraordinaire
☐ c. Être surprenant

❸ Insularité
☐ a. Population d'une île
☒ b. Caractère propre à une île
☐ c. Configuration d'une île

❹ Alimenter un cliché
☒ a. Entretenir une image
☐ b. Modifier une image
☐ c. Donner une mauvaise image

B.
a. Ses échecs sont dus à un manque de travail évident.
b. Les associations de consommateurs ont relevé de graves manquements à la législation européenne.
c. Je n'ai pas pu acheter de pain, il manquait 30 centimes.
d. Je n'irai pas à ce dîner, ça m'ennuie, je manque de temps et d'énergie.
e. Il faut que je me repose, le manque de sommeil ne me permet plus d'être opérationnel.
f. Ce qui lui manque le plus depuis qu'il a quitté sa famille, c'est la cuisine de sa mère
g. Il manque un bouton à ta chemise !
h. Pendant toute cette année passée à l'étranger, ma famille et mes amis m'ont manqué mais je crois que je leur ai manqué aussi.
i. Si tu traînes encore, tu vas manquer ton train, c'est certain.
j. Dorénavant, tous les manquements à la loi seront sanctionnés.

Information***

Compréhension guidée

	Vrai	Faux	On ne peut pas savoir.
1. L'actuelle langue bretonne est identique à la langue parlée par les Gaulois.		X	
2. Il existe peu de textes écrits dans la langue des Gaulois.	X		
3. Ce sont les Romains qui ont introduit le latin en Gaule.	X		
4. Au IIIᵉ siècle, les Francs ont combattu les Romains sur le territoire de la Gaule.			X
5. La langue germanique a remplacé le latin.		X	
6. Seuls le roi et son entourage pouvaient parler le francien.			X
7. Le francien était également une langue écrite.	X		
8. À la fin du Moyen Âge, il existait deux dialectes.		X	

9. Les langues d'oïl et d'oc étaient parlées au nord de la France.		X	
10. Le français devient langue officielle en 1639.		X	
11. François Ier rend obligatoire la rédaction des textes officiels en français.	X		
12. Au Moyen Âge, le français était parlé par la noblesse anglaise.			X
13. C'est l'Académie française qui a rédigé le premier dictionnaire de la langue française.	X		
14. À la fin du XIXe siècle, il était interdit de parler le dialecte à l'école.			X
15. En 2008, l'État français a reconnu officiellement l'importance des langues régionales.	X		

■ Enrichissement lexical

❶
a. Il est difficile de se débarrasser des mauvaises herbes qui envahissent le jardin.
b. Le film raconte les aventures d'un enfant luttant contre des envahisseurs extra-terrestres venus d'une planète inconnue.
c. En été, ce village médiéval est envahi par les touristes.
d. Les cultures ont été ravagées par une invasion de sauterelles.

❷
a. Dès qu'il est entré dans l'entreprise, il s'est comporté en conquérant, ce qui a déplu au personnel.
b. Son sourire et sa gentillesse ont conquis toute la famille.
c. Elle est venue nous présenter sa nouvelle conquête.
d. Au XXe siècle, les femmes ont conquis plus de liberté que lors des siècles précédents.
e. C'est un homme actif et ambitieux, avec un caractère de conquérant.
f. En 1492, Christophe Colomb est parti à la conquête d'un nouveau monde.

❸
a. Il s'est engagé dans l'armée pour le prestige de l'uniforme.
b. C'est un comédien talentueux qui a obtenu de nombreuses récompenses prestigieuses.
c. C'est un homme respectable qui jouit d'un grand prestige auprès de la population.
d. Il y a certains vins prestigieux dont la simple évocation du nom fait rêver.

Le calendrier

Chapitre 2

Échange*

■ Compréhension guidée

A.

	Événements évoqués par les deux personnes	Dates
Événements sportifs	– le tour de France – le tournoi de tennis de Roland Garros	? juin
Événements culturels	– la rentrée littéraire – le festival du cinéma à Cannes – les journées du patrimoine – le théâtre à Avignon	? mai septembre ?
Fêtes	– l'épiphanie – la Chandeleur – mardi gras – le 14 juillet	? ? ? le 14 juillet

B.

❶ Que se passe-t-il lors des journées du patrimoine ?
On ouvre au public des musées et des bâtiments publics habituellement fermés.

❷ Qu'évoquent les fêtes et les manifestations populaires pour la personne interrogée ?
L'enfance.

❸ Citez les spécialités qu'elle associe aux fêtes qu'elle mentionne.
La galette des rois, les crêpes.

■ Enrichissement lexical

A.

❶ L'année civile
☐ **a.** Période qui correspond à l'année scolaire
☐ **b.** Période d'un an qui commence le jour de la fête nationale
☒ **c.** Période qui commence le 1er janvier et finit le 31 décembre.

❷ Un tournoi
☒ **a.** Une compétition en plusieurs manches
☐ **b.** Une compétition en un tour
☐ **c.** Une compétition de championnat

❸ Un événement marquant
☐ **a.** Un événement inintéressant
☒ **b.** Un événement important
☐ **c.** Un événement insignifiant

❹ Un patrimoine
☒ **a.** Les biens dont on a hérité
☐ **b.** Les biens que l'on a acquis par le travail
☐ **c.** Les biens que l'on donne à la patrie

B.

❶
a. Le film est une parfaite évocation des années 80.
b. Le ministre a annoncé la tenue d'une réunion pour évoquer l'avenir des relations entre les différents partenaires économiques.
c. Les publicités présentent souvent des images évocatrices d'un bonheur facile.
d. C'est un mot évocateur de souvenirs anciens et presque oubliés.
e. L'exposition consacrée à Picasso évoque les différentes périodes de sa vie.

❷
a. Le suspect a profité d'un moment de confusion pour échapper aux policiers.
b. Trois jours de thalasso : un moyen de s'échapper du quotidien sans partir trop loin.
c. Ils sont tombés nez à nez, aucune échappatoire possible, ils ont dû se saluer malgré leurs différents.
d. La musique est pour lui une échappatoire à ses problèmes existentiels.

Information***

■ Compréhension guidée

A.

❶ Quelles étaient les caractéristiques du calendrier romain avant Jules César ?
a. Il était lunaire.
b. Il ne comportait que dix mois.
c. L'année commençait le premier mars.

❷ Quelles étaient les caractéristiques du calendrier républicain ?
a. Il comportait douze mois de trente jours plus cinq jours complémentaires.
b. Les noms des mois et des saisons étaient en relation avec les événements climatiques et les travaux agricoles.
c. L'an 1 commençait le 22 septembre 1792.

B.

❶ Quand le calendrier solaire est-il apparu ?
☐ **a.** En 365
☒ **b.** En 46 avant J.-C.
☐ **c.** En 532

❷ Quand l'instauration d'une année bissextile est-elle devenue effective pour un grand nombre d'états ?
☐ **a.** Sous le règne de Jules César
☐ **b.** Sous le règne de Napoléon
☒ **c.** Au XXe siècle

❸ Pourquoi Napoléon a-t-il restauré le calendrier grégorien ?
☐ **a.** Parce que Napoléon n'était pas républicain.
☒ **b.** Parce que la France avait un calendrier différent des autres pays.
☐ **c.** Parce que Napoléon voulait conquérir l'Europe.

❹ Aujourd'hui encore, qu'est-ce qui montre l'origine religieuse de notre calendrier ?
☐ **a.** Chaque jour correspond à une fête religieuse.
☒ **b.** Chaque jour correspond au nom d'un saint.
☐ **c.** Chaque jour correspond à une citation religieuse.

Enrichissement lexical

A.

❶
a. La tempête de sable a laissé derrière elle un paysage lunaire.
b. Il paraît que le nombre des naissances augmente les jours de pleine lune.
c. Son caractère lunatique est très déstabilisant pour son entourage.
d. Cet enfant a des difficultés à se concentrer en classe, il est toujours dans la lune.
e. Il est vraiment lunatique, je supporte de moins en moins ses sautes d'humeur.

❷
a. La naissance de leur petit-fils a ensoleillé leur vie.
b. Tu es toute rouge, tu aurais dû mettre de la crème solaire.
c. La météo a annoncé de belles journées ensoleillées pour la fin de la semaine.
d. L'énergie solaire est une des principales sources d'énergie renouvelable.

B.
a. Au commencement : initialement.
b. Une marque : une trace.
c. Perfectionner : remédier aux imperfections.
d. Établir officiellement : instituer.
e. Établir pour la première fois : instaurer.
f. Obliger : imposer.

La famille

Échange**

■ Compréhension guidée

A.

À propos de la femme interviewée	Vrai	Faux	On ne peut pas savoir.
1. Elle est mariée.		X	
2. Elle a signé un PACS.			X
3. Elle cohabite avec un homme.	X		
4. Elle a des enfants.	X		
5. Son divorce s'est très mal passé.	X		
6. Elle porte toujours le nom de son ex-mari.		X	
7. Son ex-mari et elle n'étaient pas d'accord sur le montant de la pension alimentaire.	X		
8. C'est elle qui a demandé le divorce.			X
9. Elle ne souhaite pas se marier à nouveau.	X		
10. Pour elle, avoir des enfants sans être mariée pose des problèmes.		X	
11. Son compagnon souhaiterait probablement un mariage religieux.	X		
12. Son mariage était un mariage religieux.	X		

B.
État civil – séparation – <u>douleur</u> – pénible – <u>mairie</u> – maire – négociation – <u>alimentation</u> – procédure – hors mariage – <u>tradition</u> – sacrement – religieux.

■ Enrichissement lexical

A.

❶
a. Ils se sont rencontrés par l'intermédiaire d'une agence matrimoniale.

b. C'était une cérémonie de mariage peu conventionnelle, la mariée était en rose, et le marié ne portait pas de cravate.

c. Finalement ils se sont mariés après avoir vécu maritalement pendant 10 ans.

d. Les régimes matrimoniaux diffèrent d'un pays à l'autre.

e. C'est le ministre en personne, en tant que maire de la commune, qui a marié la fille du préfet.

❷

a. Ils étaient fiancés mais ils ont rompu un mois avant leur mariage.

b. Sa compagne l'a quitté sans explication, ça a été pour lui une rupture très douloureuse.

c. Après la déclaration du président, il est certain que les relations diplomatiques entre les deux pays seront rompues.

d. Il skie comme un fou, un jour, il se rompra le cou !

e. Son discours a jeté un froid, personne n'a osé rompre le silence qui a suivi.

Information***

■ Compréhension guidée

A.

❶ Quels sont les aspects positifs pour les femmes de la loi de 1965 ?

a. Le mari ne peut plus s'opposer à l'exercice, par son épouse, d'une profession séparée.

b. Chaque époux peut ouvrir, en son nom propre, un compte dans une banque.

❷ Quelles sont les modifications de la loi de 1966 concernant l'adoption ?

a. L'enfant adopté bénéficie des mêmes droits que l'enfant légitime.

b. L'adoption n'est plus réservée aux couples légitimes mais peut-être demandée par toute personne âgée d'au moins 35 ans.

❸ En quoi l'autorité parentale a-t-elle été modifiée par la loi de juillet 1970 ?

L'autorité parentale est exercée conjointement par les deux époux. Auparavant, l'époux était considéré comme le chef de famille.

❹ En 1975, la loi précise les responsabilités financières des deux époux. Donnez deux exemples.

a. Chaque époux peut passer seul des contrats concernant le ménage ou l'éducation des enfants.

b. Chaque époux peut disposer librement de ses rémunérations après s'être acquitté des charges du ménage.

❺ En quelle année la loi dite Veil a-t-elle été promulguée ? Qu'autorise-t-elle ?

En 1975, elle légalise l'intervention volontaire de grossesse dans des conditions déterminées.

B.

a. Aujourd'hui, la notion de famille recouvre des réalités très diverses : couple marié ou non, avec enfant ou non, parent isolé avec enfant ou famille recomposée.

b. La famille nucléaire n'est plus le modèle familial unique, de nouveaux types de liens familiaux sont nés.

■ Enrichissement lexical

A.

❶
a. Le président de la République vient de promulguer la loi votée par le parlement.
b. Les syndicats ont protesté violemment contre la promulgation du décret réformant la durée légale du temps de travail.
c. Le décret d'application de la loi sur l'immigration sera promulgué prochainement.

❷
a. Le gouvernement statuera dans les jours à venir sur la réforme du système scolaire.
b. La modification des statuts de l'association semble indispensable.
c. Au cours de l'histoire, le statut de l'enfant a changé, aujourd'hui il est considéré comme un individu à part entière, ayant des droits et des devoirs.

❸
a. Impossible de le joindre par téléphone, je lui envoie un mail.
b. C'est en agissant conjointement qu'ils ont pu obtenir de meilleures conditions de travail.
c. La fusée a parfaitement réussi la jonction avec la station spatiale.
d. Si vous le désirez, nous nous joindrons à vous pour participer au cadeau de mariage de Pierre et Fabienne.
e. Les travaux de jonction des deux autoroutes sont enfin terminés.

B.
a. La réglementation pour la répartition et la gestion des biens entre les époux : un régime matrimonial.
b. L'accord : le consentement.
c. Un avortement : une interruption volontaire de grossesse.
d. Une période de dix ans : une décennie.
e. Attribuer, donner : accorder.
f. L'unité familiale élémentaire : la famille nucléaire.

La table

Échange**

■ Compréhension guidée

A.

	La femme	L'homme
Le petit-déjeuner		
De quoi est-il composé ?	De café, de céréales, de tartines	D'un café noir
Le déjeuner		
Où est-il pris ?	Au square, au parc	Au restaurant d'entreprise
Le dîner		
À quelle heure dînent-ils ?	Tard, mais elle ne précise pas l'heure	20 h/20 h 30
Avec qui dînent-ils ?	Avec son mari et ses enfants	Avec son épouse
Qui prépare le repas ?	On ne sait pas	L'homme
Le week-end, les jours de fêtes		
En quoi leurs habitudes diffèrent-elles ?	Elle cuisine en famille pour apprendre à ses enfants des saveurs nouvelles.	Il reçoit des amis.

B.

❶ Comment la dame paie-t-elle son repas de midi ?
Avec des tickets-restaurants.

❷ Que fait l'homme avant le dîner ?
Il prend un apéritif avec ses amis.

❸ Vont-ils souvent au restaurant ? Pourquoi ?
Rarement, exceptionnellement, parce que c'est cher et pas toujours copieux.

■ Enrichissement lexical

A.

❶ C'est copieux.
☐ **a.** C'est bon.
☐ **b.** C'est riche.
☒ **c.** C'est abondant.

❷ C'est équilibré.
☐ **a.** C'est très cher.
☒ **b.** C'est bien composé sur le plan nutritionnel.
☐ **c.** C'est d'un bon rapport qualité-prix.

❸ Mettre la main à la pâte
☐ **a.** Préparer des pâtes
☒ **b.** Participer à la préparation
☐ **c.** Mettre les mains dans la farine

B.

❶
a. L'ensemble du personnel est convié au pot de départ à la retraite du directeur administratif.
b. Le mobilier a été changé, l'aménagement a été revu, les bureaux sont beaucoup plus conviviaux maintenant.
c. Ils ont créé un site internet vraiment convivial, d'ailleurs, il est très visité.
d. Tous les convives ont pris place dans la salle des fêtes, et au début du repas le père de la mariée a fait un petit discours.
e. Bien que l'habitude du grignotage se soit développée chez les jeunes ces dernières années, la traditionnelle convivialité du repas français ne disparaît pas.

❷
a. Sans épices ce plat aurait été sans saveur.
b. D'après le célèbre cuisinier Brillat-Savarin, les quatre saveurs fondamentales du goût sont : l'acide, l'amer, le salé et le sucré.
c. La mousse au chocolat préparée selon ta recette est particulièrement savoureuse, très onctueuse et pas trop sucrée.
d. Depuis qu'il a failli mourir, il savoure chaque moment de la vie.

PLAGE 8

Information**

■ Compréhension guidée

A.

❶ Qu'est-ce que le terroir ?
C'est le lieu où se trouvent les vignes.

❷ Qu'est-ce que le cépage ?
Ce sont les différents types de plants de vigne.

❸ Quels sont les éléments qui participent à l'originalité d'un terroir ?
Le sol, le climat, l'exposition au soleil et au vent.

❹ Qu'est-ce qui caractérise le Gamay dans le Beaujolais ?
Il provient d'un seul cépage.

❺ Quelle est la particularité du Châteauneuf du Pape dans le Sud-Est ?
Il peut-être composé de treize cépages.

6 Qu'est-ce que l'œnologie ?
La science du vin.

Enrichissement lexical

A.

1
a. Le bordelais est une région viticole très connue, son vignoble existait déjà avant la conquête romaine.
b. Dans le but de respecter l'environnement, de plus en plus de viticulteurs se tournent vers la culture biologique.
c. De nombreux domaines viticoles sont dirigés par des viticultrices car elles ont su montrer leurs talents d'œnologues et de gestionnaires.
d. Le sud de l'Europe possède une tradition viticole millénaire.
e. Pour répondre à la demande des consommateurs, la viticulture française a su s'adapter et a privilégié la qualité à la quantité de la production.

2
a. Le travail du vigneron est devenu plus scientifique, mais il doit toujours tailler et soigner chaque pied de vigne tout au long de l'année.
b. Au XIXᵉ siècle, le phylloxéra a détruit une grande partie du vignoble européen.
c. Les ceps de vigne, sagement alignés, sont caractéristiques des paysages provençaux.
d. Pendant les vendanges, les ramasseurs sont dispersés dans la vigne et travaillent dur mais souvent dans une joyeuse atmosphère.

La santé

Chapitre 5

Échange**

Compréhension guidée

A.

	Vrai	Faux	On ne peut pas savoir.
1. Le pharmacien connaît la cliente.	X		
2. Le docteur Perrier a prescrit des médicaments à la patiente.	X		
3. Le pharmacien propose de remplacer les médicaments homéopathiques par des médicaments génériques.		X	
4. Des émissions télévisées incitent les gens à consommer moins de médicaments.			X
5. Le budget de la Sécurité sociale est équilibré.			X

B.

Ordinateur – <u>remède</u> – antipathique – biologique – <u>molécule</u> – <u>ça sera pareil</u> – efficacité – je vous les garantis – <u>traitement</u> – rembourser.

Enrichissement lexical

A.

❶ On doit la casser à chaque extrémité.
☒ **a.** Une ampoule
☐ **b.** Une gélule
☐ **c.** Une pastille

❷ Vous devez la diluer dans un peu d'eau.
☐ **a.** Une pastille
☒ **b.** Une poudre en sachet
☐ **c.** Une gélule

❸ Vous devez en prendre une cuillère à soupe le matin à jeun.
☐ **a.** Un comprimé

☒ **b.** Un sirop
☐ **c.** Une ampoule

4 Vous pouvez en sucer 5 à 6 par jour.
☐ **a.** Des comprimés
☐ **b.** Des gouttes
☒ **c.** Des pastilles

5 Il faut les faire fondre sous la langue.
☐ **a.** Des gouttes
☐ **b.** Des suppositoires
☒ **c.** Des granules

6 Il faut en passer sur la plaie deux fois par jour.
☒ **a.** Du gel
☒ **b.** De la pommade
☒ **c.** De la crème

7 Vous devez en mettre deux dans chaque œil, une fois par jour.
☐ **a.** Des cachets
☒ **b.** Des gouttes
☐ **c.** Des gélules

B.

❶
a. Le décret qui prescrit l'interdiction de fumer dans les lieux publics est désormais appliqué.
b. Certains médicaments peuvent être achetés sans prescription médicale.
c. La Sécurité sociale incite les médecins à prescrire moins d'antibiotiques.

❷
a. Philippe devait prendre un traitement contre la grippe, il ne l'a pas suivi et il a fait une rechute.
b. Les parents du petit Laurent ont été condamnés pour mauvais traitements.
c. Le médecin de ma voisine traite ses patients uniquement par homéopathie.
d. Notre petite entreprise marche très bien, nous traitons des affaires dans le monde entier.

❸
a. Ses dettes sont trop élevées, il est dans l'incapacité de les rembourser.
b. Après l'annulation du spectacle pour cause de mauvais temps, le remboursement du prix des billets se fera au guichet.
c. Il n'a pas encore été remboursé de ses frais professionnels par son entreprise.
d. J'attends avec impatience le remboursement, par mon assurance, des dépenses occasionnées par un accident de voiture.
e. Ils sont surendettés, ils ne peuvent pas faire face aux échéances qui correspondent aux remboursements de leurs nombreux emprunts.

Information***

■ Compréhension guidée

A.

❶ Quelles sont les causes de la pénurie de médecins ? Donnez au moins deux exemples.
a. La sélection des étudiants entre 1983 et 1993.
b. L'augmentation des médecins partant à la retraite.
c. L'augmentation de l'espérance de vie de la population française.

❷ Qu'appelle-t-on le *numerus clausus* ?
La limitation des étudiants admis en deuxième année.

❸ Combien y avait-il de médecins en 2006 ?
Il y avait 202 277 médecins en 2006.

❹ Combien y en aura-t-il en 2025 ?
Il y aura 186 000 médecins en 2025.

❺ Pourquoi prévoit-on un manque de médecins dans les zones rurales ?
On prévoit un manque de médecins dans les zones rurales car 60 % des jeunes médecins ne souhaitent pas s'installer à la campagne.

❻ Relevez deux exemples d'initiatives prises par des communes pour attirer de jeunes médecins.
a. Le financement des études d'un étudiant qui acceptera de s'installer à la campagne.
b. La mise à disposition gratuite d'un local.

B.
Le manque de médecins se fait également sentir en milieu hospitalier pour certaines spécialités. Les établissements de soins n'hésitent pas à faire appel à des praticiens étrangers, notamment des médecins originaires des pays de l'Est de l'Europe ou d'Afrique du Nord qui ont suivi une spécialisation dans les universités françaises et qui envisagent d'exercer leur activité professionnelle en France.

■ Enrichissement lexical

A.

❶ Conscientes de ce problème, les communes…
☐ **a.** … ignorent ce problème.
☒ **b.** … connaissent ce problème.
☐ **c.** … acceptent ce problème.

❷ Gracieusement
☐ **a.** Délicatement
☐ **b.** Élégamment
☒ **c.** Gratuitement

B.

❶
a. L'état de santé du malade s'est aggravé à cause du manque de soins.
b. En période de pénurie alimentaire l'aide internationale doit s'organiser de manière efficace.
c. De nouvelles sources d'énergie devraient remplacer la pénurie de pétrole.
d. Ses résultats médiocres sont dus à un manque de travail.
e. Dans les hôpitaux, la pénurie de personnels soignants s'est aggravée depuis 10 ans.

❷
a. Sa formation lui permet d'apporter les premiers soins aux blessés.
b. Pierre est très satisfait des peintres qui ont travaillé chez lui, leur travail était particulièrement soigné.
c. S'il est souvent malade, c'est parce qu'il se soigne mal.
d. Ce médecin va une fois par semaine dans une association caritative où il soigne bénévolement les patients.
e. La maladie s'est propagée très vite parmi la population, faute de soins appropriés.
f. Mon fils est très soigneux, petit déjà il rangeait ses affaires avec soin.

❸
a. Je trouve qu'il y a dans tous les hôpitaux une odeur caractéristique de désinfectant.
b. Le blessé a dû être hospitalisé en urgence.
c. Il est ravi de rentrer chez lui après cinq mois d'hospitalisation dans différents services.
d. Si son état de santé s'aggrave, il faudra l'hospitaliser rapidement.
e. Les centres hospitaliers universitaires sont chargés de la formation des futurs médecins.
f. Le secteur hospitalier souffre d'un manque chronique de personnel.

Les loisirs

Échange**

■ Compréhension guidée

Thierry et ses enfants, Roselyne	Thierry	Les enfants de Thierry	Roselyne
1. Quand sont-ils rentrés de vacances ?	Il y a une semaine	?	?
2. Où sont-ils allés ?	À la campagne	En camp d'ados	?
3. Avec qui étaient-ils ?	Avec la belle famille	?	Des collègues
4. Combien de temps leurs vacances ont-elles duré ?	?	Trois semaines	?
5. De quelles aides financières ont-ils bénéficié ?	La CAF (pour ses enfants)	?	Des chèques-vacances
6. Ont-ils encore des vacances à prendre ?	Non	?	Oui
7. Sont-ils satisfaits de leurs vacances ?	?	Très contents	Oui, elle renouvellera l'expérience.

■ Enrichissement lexical

A.

❶ On a repris le boulot.
☐ **a.** On a changé de travail.
☐ **b.** On a quitté son travail.
☒ **c.** On a recommencé le travail.

❷ C'est indexé au quotient familial.
☒ **a.** C'est lié au revenu de la famille.
☐ **b.** C'est indépendant du revenu de la famille.
☐ **c.** C'est calculé sur la base des salaires de la famille.

❸ Avoir les parents sur le dos.
☐ **a.** Agir en cachette des parents.
☒ **b.** Être surveillé par les parents.
☐ **c.** S'opposer à ses parents.

4 Une grosse boîte

☒ **a.** Une entreprise qui emploie de nombreux salariés
☐ **b.** Une entreprise connue
☐ **c.** Une entreprise qui fait des bénéfices importants

B.

	Familier	Standard
a. Être au chômage		X
b. Les moyens étaient pas géniaux	X	
c. La belle famille		X
d. Un ado	X	
e. Les gamins	X	
f. Avoir les parents sur le dos	X	
g. Les moniteurs		X
h. Épuiser toutes ses vacances		X
i. Le boulot	X	
j. C'est insupportable		X
k. Une grosse boîte	X	
l. C'est pas donné	X	
m. Renouveler l'expérience		X
n. Il n'y a pas de raison		X

PLAGE 12

Information***

Compréhension guidée

A.

	Vrai	Faux	On ne peut pas savoir.
1. Tous les Français ont 39 jours de congés par an.		X	
2. Le nombre de Français partant en vacances a beaucoup augmenté ces dernières années.		X	
3. Les cadres partent presque deux fois plus en vacances que les ouvriers.	X		
4. La durée des vacances d'été est en moyenne de 15 jours.			X
5. Le tourisme bleu concerne essentiellement la thalassothérapie.		X	
6. La majorité des Français choisissent de passer leurs vacances à la campagne.		X	

7. Les vacances à la campagne reviennent moins cher que les vacances au bord de la mer.	X		
8. Le nombre de manifestations culturelles est en augmentation.			X
9. La majorité des Français partent en vacances en Espagne ou en Italie.		X	
10. La France est le pays du monde qui accueille le plus de touristes.	X		

B.

❶ Pourquoi le tourisme vert est-il en augmentation ?
Parce que les Français sont à la recherche de calme, d'authenticité et ont le souci de réduire les dépenses.

❷ Relevez des exemples qui montrent l'intérêt des Français pour le tourisme industriel et technique.
Le viaduc de Millau, une usine marée motrice en Bretagne, des grands barrages reçoivent des centaines de milliers de visiteurs.

❸ Pourquoi les visites du secteur agro-alimentaire sont-elles appréciées ?
Parce qu'elles sont généralement accompagnées de dégustations.

■ Enrichissement lexical

A.

❶ Certaines catégories **d'actifs**
☐ **a.** Personnes qui sont à la retraite
☐ **b.** Personnes qui sont dynamiques
☒ **c.** Personnes qui ont un emploi

❷ Les sites du **littoral**
☒ **a.** Les sites côtiers
☐ **b.** Les sites à la mode
☐ **c.** Les sites méditerranéens

❸ Combiner
☐ **a.** Alterner
☒ **b.** Associer
☐ **c.** Calculer

❹ Détenir
☐ **a.** Conserver
☒ **b.** Posséder
☐ **c.** Obtenir

❺ Être casanier
☐ **a.** Aimer l'aventure
☒ **b.** Aimer rester chez soi
☐ **c.** Aimer sa maison

❻ Un pays frontalier
☐ **a.** Un pays européen
☐ **b.** Un pays proche
☒ **c.** Un pays limitrophe

B.
a. Les salariés qui le désirent peuvent bénéficier d'un congé parental non rémunéré pour élever un enfant.
b. Nous avons dû changer de voiture, alors cette année pas de vacances aux sports d'hiver.
c. Après son congé de maternité, elle a retrouvé son poste dans l'entreprise.
d. Il est d'un caractère plutôt indépendant, il déteste les vacances en groupe.
e. De nombreux parents trouvent que les vacances scolaires d'été durent trop longtemps.
f. La loi instaurant les congés payés en France date de 1936.

Les médias

Échange*

■ Compréhension guidée

1 Quand Catherine a-t-elle acheté le journal *Le Monde* ?
Il y a trois jours.

2 Pourquoi ne l'achète-t-elle pas tous les jours ? Citez deux raisons.
a. Parce que c'est cher.
b. Parce qu'elle lit le journal en buvant un café, ce qui multiplie le prix.

3 Quel autre journal lit-elle ?
Un quotidien régional.

4 Où va-t-elle lire de temps en temps ? Pourquoi ?
À la bibliothèque, parce que l'accès aux salles de lecture est gratuit.

5 Quels magazines aime-t-elle plus particulièrement ? Pourquoi ?
Les magazines de jardinage, parce qu'elle a un petit jardin.

6 Quelles émissions écoute-t-elle à la radio ?
Les programmes d'informations et de musique.

7 Quelles émissions regarde-t-elle à la télévision ?
Des journaux et des émissions culturelles.

8 Pour quelle raison ne paye-t-elle pas la redevance ?
Elle trouve les programmes de mauvaise qualité.

9 À quoi sert la redevance ?
À financer les chaînes publiques.

■ Enrichissement lexical

A.

1 *Le Monde*, c'est dense.
☐ **a.** C'est un journal sérieux.
☐ **b.** C'est un journal populaire.
☒ **c.** C'est un journal qui contient beaucoup d'informations.

2 Ce n'est pas très civique.
☒ **a.** Ce n'est pas un comportement de bon citoyen.

☐ **b.** Ce n'est pas très juste.
☐ **c.** Ce n'est pas un comportement admissible.

B.

❶
a. Je reçois régulièrement des courriels dont les émetteurs me sont totalement inconnus.
b. Pour les Jeux olympiques, la poste a émis un très beau timbre déjà très recherché par les collectionneurs.
c. Si je peux émettre un souhait pour mon anniversaire, j'aimerais que toute la famille se réunisse dans la maison de notre enfance.
d. La chaîne *Arte* diffuse des émissions très intéressantes, c'est également la seule chaîne qui passe des films en version originale sous-titrée.
e. Pendant la seconde guerre mondiale, les résistants recevaient leurs ordres par radio depuis un émetteur situé à Londres.
f. On vient d'annoncer l'émission d'une nouvelle pièce de 5 € en argent.
g. Aujourd'hui, à la télévision les émissions diffusées en direct sont rares.
h. Pour toute réclamation, il faut s'adresser à la banque émettrice de ces chèques.

❷
a. Pour cet été, nous avons programmé un voyage aux Antilles.
b. Je vais changer ma cafetière électrique, le programmateur ne fonctionne plus, et je dois renoncer à mon café au réveil. C'est insupportable !
c. Quand mes grands-parents ont reçu leur graveur de DVD programmable, ils ont eu beaucoup de mal à l'utiliser, la notice n'était pas très claire.
d. Cette année encore, la programmation du festival d'Avignon devrait surprendre par son éclectisme et son originalité.
e. Après ses études d'informatique, il a obtenu un poste de programmeur dans une grande société.
f. Il vaudrait mieux que les programmateurs des chaînes publiques se concertent pour proposer en début de soirée des émissions complémentaires plutôt que concurrentielles.

PLAGE 14 **Information*****

■ **Compréhension guidée**

	Vrai	Faux	On ne peut pas savoir.
1. Avant 1968, la publicité de marque était interdite à la télévision.	X		
2. La publicité télévisée est apparue en France après tous les autres pays européens.			X
3. Le CSA signifie Conseil des sanctions de l'audiovisuel.		X	

4. Le CSA est un organisme qui contrôle la publicité dans tous les médias.		X	
5. La publicité ne doit pas :			
a. tromper le consommateur.	X		
b. montrer des images choquantes.	X		
c. comparer des produits.		X	
d. mettre en scène des enfants.			X
e. inciter à la consommation de médicaments quels qu'ils soient.		X	
f. durer plus de 30 minutes.			X
6. La publicité peut :			
a. montrer des hommes politiques.			X
b. recommander certaines boissons alcoolisées.		X	
c. inciter à prendre des médicaments pour cesser de fumer.	X		
d. être diffusée au cours d'une émission.	X		

■ Enrichissement lexical

A.

❶ Vanter les mérites
☐ **a.** Reconnaître des qualités
☐ **b.** Expliquer des qualités
☒ **c.** Mettre en évidence des qualités

❷ Être loyal
☐ **a.** Être correct
☒ **b.** Être honnête
☐ **c.** Être parfait

❸ Porter préjudice
☒ **a.** Causer du tort
☐ **b.** Porter un jugement négatif
☐ **c.** Porter un jugement positif

B.

❶
a. Ils ont préparé clandestinement leur départ.
b. Tous les jours, des passagers clandestins tentent de passer la frontière au péril de leur vie.
c. La police a arrêté un employeur qui exploitait une vingtaine de travailleurs clandestins.
d. Ils refusent de vivre leur histoire d'amour dans la clandestinité, mais leur situation est délicate.
e. Il est impossible d'évaluer précisément le nombre de personnes vivant clandestinement en France.

❷

a. Ce chef d'œuvre a été conçu au XVIIIe siècle par l'architecte royal.

b. C'est un véhicule de conception nouvelle qui roule sans carburant.

c. C'est en 1982 qu'un enfant a été conçu par fécondation *in vitro* pour la première fois en France.

d. Quitter Paris, vivre tranquillement à la campagne, c'est un mode de vie tout à fait concevable pour un certain nombre de futurs retraités.

e. Je ne peux pas concevoir la cuisine comme un loisir.

❸

a. La loi doit s'appliquer à tous, sans discrimination.

b. La loi punit les employeurs qui pratiqueraient une forme de discrimination sexuelle ou raciale.

c. Les associations jugent que les mesures concernant l'immigration sont discriminatoires.

C.

a. Tromper : induire en erreur.

b. Indétectable : subliminal.

c. Désadaptation : désaccoutumance.

d. Dépasser une hauteur de son : excéder un volume sonore.

L'argent

Échange**

Compréhension guidée

A.

❶ Les personnes interrogées sont, dans un premier temps,
☒ **a.** un peu méfiantes.
☐ **b.** disposées à parler de leurs revenus.

❷ Elles ont
☒ **a.** un niveau de vie bien différent.
☐ **b.** un niveau de vie équivalent.

❸ Quel est leur statut professionnel ?
Salariés.

❹ Comment réagissent-ils à la question sur leur éventuelle malhonnêteté ?
La femme : reconnaît, avoue quelques malhonnêtetés.
L'homme : réagit vivement pour affirmer son honnêteté.

B.

❶ De quels revenus complémentaires
a. dispose l'homme ? De revenus immobiliers.
b. dispose la femme ? De droits d'auteur.

❷ Relevez les avantages en nature dont bénéficie la femme.
Parfois des déjeuners au restaurant.

❸ Relevez les avantages en nature dont bénéficie l'homme.
Un chauffeur et un véhicule de fonction.

❹ Elle admet avoir déjà fraudé. Donnez deux exemples.
a. Elle dissimule des revenus au fisc.
b. Elle utilise son téléphone professionnel pour des conversations privées.

Enrichissement lexical

A.

❶ Les sources de revenus
☒ **a.** L'origine des revenus
☐ **b.** Les différents revenus
☐ **c.** Le montant des revenus

❷ Un portefeuille d'actions
☐ **a.** Une attestation d'actions
☒ **b.** Un ensemble d'actions
☐ **c.** Une rémunération en actions

❸ Les droits d'auteurs
☐ **a.** Les obligations envers les auteurs
☐ **b.** Les statuts des auteurs
☒ **c.** La rémunération des auteurs

❹ Un logement de fonction
☐ **a.** Un logement à prix modéré
☐ **b.** Un logement en bon état
☒ **c.** Un logement mis à la disposition d'un employé

❺ Je ne mange pas de ce pain-là.
☐ **a.** Je ne partage pas votre opinion.
☒ **b.** Je refuse ces procédés.
☐ **c.** Je n'accepte pas la facilité.

B.
a. Pour entrer dans la discothèque, il a dû tricher sur son âge.
b. Malgré la multiplication des contrôles, de nombreuses personnes fraudent dans les transports en commun.
c. Le passager a payé une amende importante pour avoir fraudé la douane.
d. Elle a été sanctionnée car elle trichait aux examens en copiant sur ses voisins.
e. Je ne veux plus jouer avec lui, il ne peut pas s'empêcher de tricher.

Information***

Compréhension guidée

	Vrai	Faux	On ne peut pas savoir.
1. Le pouvoir d'achat des Français a baissé.		X	
2. C'est pour se loger que les Français dépensent le plus.	X		

3. Selon l'INC, le prix de certains aliments a augmenté de façon notable.	X		
4. L'augmentation du prix du carburant a des conséquences sur le coût des marchandises.	X		
5. Le prix de la consultation chez le médecin a augmenté de 2 €.			X
6. À cause de la conjoncture économique, certaines professions ont le sentiment d'être en danger.	X		
7. Le prix des téléphones portables a diminué.			X
8. La hausse des prix touche surtout les personnes qui n'ont pas d'emploi stable.	X		
9. Le prix des lave-linge ou des lave-vaisselle a diminué.	X		
10. Pour faire des économies, les Français achètent plus qu'avant des objets d'occasion.	X		

■ Enrichissement lexical

A.

❶ L'INC **pointe** la hausse des prix.
☐ **a.** L'INC contrôle la hausse des prix.
☐ **b.** L'INC déplore la hausse des prix.
☒ **c.** L'INC met l'accent sur la hausse des prix.

❷ La voiture **grève** le budget.
☒ **a.** Les dépenses liées à la voiture alourdissent le budget des ménages.
☐ **b.** Les dépenses liées à la voiture sont mal évaluées.
☐ **c.** Les dépenses liées à la voiture allègent le budget des ménages.

❸ Le poste santé
☐ **a.** Les professions de santé
☒ **b.** Le budget consacré à la santé
☐ **c.** Le cabinet médical

❹ Les biens de première nécessité
☐ **a.** Les produits et objets les meilleurs marché
☐ **b.** Les produits et objets de toilette
☒ **c.** Les produits et objets indispensables à la vie quotidienne

❺ Les bons plans
☒ **a.** Les bonnes idées
☐ **b.** Les bons projets
☐ **c.** Les bonnes informations

B.

❶
a. Il s'est entraîné sérieusement, ainsi il a fait des progrès remarquables.

b. Après les inondations de ces derniers temps, on espère une amélioration progressive des conditions météorologiques.

c. Pour les médecins, la progression de sa maladie est inéluctable.

d. Si elle suit assidûment les cours, elle progressera normalement.

❷

a. Leur divorce a eu de graves répercussions sur le comportement de leurs enfants.

b. La secrétaire doit répercuter les décisions de la direction auprès des différents services.

c. La chute des cours de la bourse a eu des répercussions sur l'équilibre financier des entreprises les plus fragiles.

d. Les effets de la fatigue se répercutent sur notre moral.

e. Ce matin, le bruit de l'explosion dans l'usine de produits chimiques s'est répercuté dans toute la ville.

❸

a. Son salaire ne lui permet pas d'économiser suffisamment pour acheter un appartement.

b. Le nombre de familles qui ont des difficultés économiques est en augmentation.

c. Ce cours d'économie est vraiment passionnant.

d. La politique économique du gouvernement est fortement contestée par les syndicats.

e. Je renonce à partir en vacances au Japon, je ne peux pas faire les économies que nécessite ce voyage.

f. Elle fait une grande partie de ses achats au moment des soldes, ce qui représente une économie non négligeable.

g. C'est une voiture puissante donc peu économique.

L'habitat

Chapitre 9

PLAGE 17

Échange**

■ Compréhension guidée

❶ Pourquoi la jeune femme veut-elle quitter Paris ?
☐ **a.** Parce qu'elle a quatre enfants.
☒ **b.** Parce que leur appartement est trop petit.
☐ **c.** Parce qu'elle veut vivre dans une petite ville.
☐ **d.** Parce que les prix de l'immobilier sont trop élevés.

❷ Pourquoi veut-elle habiter en province ?
☐ **a.** Parce que la vie à la campagne est plus agréable.
☒ **b.** Parce que les logements sont moins chers.
☐ **c.** Parce qu'elle pourra sortir plus facilement.
☒ **d.** Parce que les taxes sont moins élevées.

❸ Pourquoi veut-elle habiter dans le Sud-Ouest ?
☐ **a.** Parce que c'est une belle région.
☒ **b.** Parce qu'on y mange bien.
☒ **c.** Parce qu'elle a de la famille à proximité.
☐ **d.** Parce qu'il y a beaucoup d'Anglais.

❹ Quels sont les inconvénients de ce changement de vie ?
☐ **a.** Ces amis parisiens ne lui rendront plus visite.
☒ **b.** Elle risque de s'ennuyer.
☐ **c.** Elle ne pourra plus faire de théâtre.
☐ **d.** Les enfants regarderont trop la télévision.

■ Enrichissement lexical

A.

❶ C'est hors de question.
☐ **a.** C'est bien le problème.
☒ **b.** C'est impensable.
☐ **c.** C'est possible.

❷ C'est hors de prix.
☐ **a.** C'est très peu cher.
☐ **b.** C'est le juste prix.
☒ **c.** C'est beaucoup trop cher.

3 S'en sortir mieux
- ☐ **a.** Mieux profiter de la vie
- ☒ **b.** Mieux équilibrer son budget
- ☐ **c.** Mieux se loger

4 Être collée à tes beaux-parents (fam.)
- ☐ **a.** Habiter chez tes beaux-parents
- ☐ **b.** Habiter loin de tes beaux-parents
- ☒ **c.** Habiter trop près de tes beaux-parents

5 Un coin
- ☐ **a.** Un angle
- ☒ **b.** Un endroit
- ☐ **c.** Un village

6 Retaper une maison
- ☐ **a.** Construire une maison
- ☒ **b.** Rénover une maison
- ☐ **c.** S'installer dans une maison

B.

a. Quelqu'un qui ne risque plus rien : il est hors de danger.

b. Quelqu'un qui est furieux : il est hors de lui.

c. Quelqu'un qui respire difficilement après un effort : il est hors d'haleine.

d. Quelque chose qui est original : c'est hors du commun.

e. Quelqu'un qui ne peut pas être tenu pour responsable : il est hors de cause.

C.

a. En avoir assez : en avoir marre.

b. Se heurter : se cogner.

c. Être obligé de faire quelque chose de désagréable : se taper quelque chose.

Information***

PLAGE 18

■ Compréhension guidée

Règlement de copropriété

1. Il est interdit de faire du bruit de jour comme de nuit.
2. Il est recommandé de fermer correctement ses volets ~~la nuit~~.
3. Il est demandé de fermer délicatement les portes ~~et de porter des pantoufles chez soi~~.
4. Il est recommandé de baisser le volume sonore de la télévision ~~à partir de 20 heures~~ pour ne pas déranger les voisins.
5. Un arrêté ~~municipal~~ préfectoral interdit à certains moments de la journée, l'utilisation des tondeuses à gazon.
6. Les parents sont responsables du bruit occasionné par leurs enfants mineurs.
7. Il est strictement interdit de brûler des végétaux ~~et de faire des barbecues~~.

■ Enrichissement lexical

A.

1 Le seuil
- ☒ **a.** La limite
- ☐ **b.** L'heure
- ☐ **c.** Le bruit

2 Le tapage
- ☐ **a.** Une bagarre
- ☒ **b.** Un bruit violent
- ☐ **c.** Une dispute

❸ Une tondeuse
☐ **a.** Une machine pour couper du bois
☐ **b.** Une machine pour faire des trous dans les murs
☒ **c.** Une machine pour couper le gazon

❹ Une débroussailleuse
☐ **a.** Une machine pour couper des planches en bois
☒ **b.** Une machine pour couper des arbustes
☐ **c.** Une machine pour couper de grands arbres

B.

❶
a. Son comportement excentrique au cours de la cérémonie de mariage a importuné tout le monde.
b. Comme d'habitude, ils sont arrivés au moment du repas ; je ne supporte plus leurs visites importunes.
c. Avec un sourire et une plaisanterie, il a l'art de se débarrasser diplomatiquement des importuns qui pourraient nous gâcher le week-end.
d. Les spectateurs qui, au cinéma, font des commentaires pendant le film importunent toute la salle.

❷
a. Quand on arrive au sommet, la vue est imposante et récompense de tous les efforts que l'on a faits.
b. Tu ne devrais pas te laisser faire, ce n'est pas à lui d'imposer sa loi.
c. Il a été embauché grâce à ses relations, on m'a dit que son père l'avait imposé au poste de directeur adjoint.
d. Pour éviter toutes violences, le préfet a exigé la présence d'un imposant service d'ordre.

C.
a. Punir : sanctionner.
b. Qui se produit le jour : diurne.
c. Qui se produit la nuit : nocturne.
d. Un bruit sec : un claquement.
e. Soumettre à un règlement : réglementer.
f. L'arrivée : l'approche.
g. Augmenter : renforcer.
h. Organiser et limiter : encadrer.
i. Ne pas accepter : ne pas supporter.

Les déplacements

Échange**

Compréhension guidée

	Vrai	Faux	On ne peut pas savoir.
1. L'automobiliste :			
a. s'est fait *flasher* par un radar.			X
b. roulait à 70 km/h au-dessus de la vitesse autorisée.		X	
c. avait une voiture trop polluante.			X
d. a dû payer une amende	X		
e. a pu s'expliquer avec la police.		X	
f. n'avait pas mis sa ceinture de sécurité.		X	
g. a subi un contrôle d'alcoolémie.		X	
h. avait oublié les papiers du véhicule.		X	
i. avait fait vérifier l'état de sa voiture récemment.	X		
j. dit que la police devrait être plus tolérante.	X		
2. Selon la dame, la répression est nécessaire pour améliorer la sécurité routière.	X		
3. La loi autorise au maximum cinq grammes d'alcool par litre de sang.		X	

Enrichissement lexical

A.

❶ Un flic
☐ **a.** Une somme d'argent
☐ **b.** Un militaire
☒ **c.** Un policier

❷ Maintenant ils ne rigolent plus.
☐ **a.** Maintenant ils se moquent de nous.
☒ **b.** Maintenant c'est sérieux.
☐ **c.** Maintenant ils s'amusent.

❸ Souffler dans le ballon
☐ **a.** Être contrôlé sur sa capacité respiratoire
☐ **b.** Être contrôlé sur son acuité visuelle
☒ **c.** Être contrôlé sur son alcoolémie

B.

❶
a. Didier a un comportement excessif, il ne sait pas se contraindre.
b. Depuis qu'il a divorcé, il a tendance à faire des excès de boisson.
c. Son tempérament excessif inquiète ses parents, ils craignent qu'il ne fasse de sérieuses bêtises.
d. Ses excès de langage le mettent parfois dans des situations délicates.
e. En France, l'excès de poids touche environ 20% des enfants.
f. Cet artiste fait l'objet d'une admiration excessive, sans commune mesure avec son réel talent.
g. Cette femme a un visage d'une excessive douceur.

❷
a. Les manifestations étaient interdites, et la répression policière a été particulièrement violente.
b. Quand il a entendu cette histoire, il n'a pas pu réprimer un fou rire.
c. Des agents de sécurité sont chargés de réprimer les mouvements de foule dans les stades lors de grandes rencontres sportives.
d. Le gouvernement a adopté une politique répressive pour lutter contre la délinquance juvénile.
e. Les accidents de la route ont diminué grâce au caractère répressif des nouvelles lois et à leur stricte application.
f. Avec les ados, la discussion est parfois plus efficace que la répression.

Information**

■ Compréhension guidée

❶ Quelles sont les deux solutions évoquées pour réduire le budget consacré aux déplacements ?
Les transports en commun et le covoiturage.

❷ À quelle occasion le covoiturage est-il apparu comme une vraie solution aux problèmes de déplacement ?
À l'occasion des dernières grèves de transport public.

❸ En quoi consiste-t-il ?
À regrouper plusieurs personnes dans un même véhicule.

❹ Donnez trois avantages du covoiturage.
a. Réduction de la pollution.
b. Réduction des coûts du trajet.
c. Échanges avec des personnes de différents milieux.

❺ Le covoiturage le plus fréquent concerne les déplacements entre banlieues. Pourquoi ?
Certaines agglomérations manquent de transports en commun.

❻ Pourquoi le covoiturage d'entreprise est-il encouragé par les patrons ?
a. Il limite le stress.
b. Il atténue la fatigue.
c. Il réduit l'absentéisme.

■ Enrichissement lexical

A.

❶ La convivialité
☐ **a.** L'harmonie dans la vie de couple
☒ **b.** Le caractère chaleureux des relations entre les personnes
☐ **c.** Les relations de bon voisinage

❷ La cohésion sociale
☒ **a.** La solidarité et l'intégration sociales
☐ **b.** La sécurité et la protection sociales
☐ **c.** La paix sociale

❸ Atténuer la fatigue
☐ **a.** Augmenter la fatigue
☐ **b.** Supprimer la fatigue
☒ **c.** Diminuer la fatigue

❹ Avoir le vent en poupe
☐ **a.** Être une solution
☒ **b.** Être poussé par le succès
☐ **c.** Être dans le vent

B.
a. Un combustible : un carburant.
b. Approuver majoritairement : plébisciter.
c. Des personnes d'univers différents : des personnes d'horizons différents.
d. Être une solution provisoire à un problème : pallier à.
e. Le maximum de pollution enregistré : un pic de pollution.

Échange**

■ Compréhension guidée

A.

❶ La conversation se passe
☒ **a.** dans un collège. ☐ **b.** dans un lycée.

❷ À quel titre la dame rencontre-t-elle ce professeur ?
Elle est déléguée des parents d'élèves.

❸ Pourquoi cette dame rencontre-t-elle ce professeur précisément ?
Il est professeur principal.

❹ Cette rencontre est
☒ **a.** normale. ☐ **b.** exceptionnelle.

B.

❶ Que dit le professeur au sujet du comportement de certains élèves de la classe ?
Il y a trois élèves agités.

❷ Quelles solutions le professeur propose-t-il pour les élèves en difficulté ?
Des séances de soutien.

❸ Comment est qualifié le comportement du fils de la dame ? Que lui est-il reproché ?
Son comportement est inadmissible, il ne fait pas ses devoirs, il ne travaille pas suffisamment à la maison.

❹ Que va faire la dame après la rencontre ?
Elle va faire un compte-rendu et contacter les autres parents pour les informer.

■ Enrichissement lexical

A.

❶ Prendre place
☐ **a.** Choisir une chaise
☐ **b.** Changer de place
☒ **c.** S'asseoir

❷ Avoir une double casquette
☐ **a.** Enseigner dans deux classes
☒ **b.** Avoir deux fonctions
☐ **c.** Avoir une fonction importante

❸ Prendre en charge quelqu'un
- ☒ **a.** S'occuper de quelqu'un
- ☐ **b.** Soigner quelqu'un
- ☐ **c.** Aider financièrement quelqu'un

❹ Ne pas être au courant
- ☐ **a.** Ne pas connaître la réponse
- ☒ **b.** Ne pas être informé
- ☐ **c.** Ne pas comprendre

❺ Coller un élève
- ☐ **a.** Lui donner des devoirs supplémentaires
- ☒ **b.** L'obliger à venir à l'école en dehors des heures de cours
- ☐ **c.** L'exclure quelques jours de l'école

B.
a. Ils peuvent venir en classe le samedi, ce sont des professeurs de l'établissement qui les prennent en charge.
b. En ce qui concerne, si je peux me permettre, mon fils, j'ai reçu son bulletin trimestriel et j'avoue que les commentaires m'inquiètent un peu.
c. On a été obligé de coller votre fils la semaine dernière.

C.
a. Être remuant, nerveux : agité
b. Une aide aux enfants en difficulté à l'école : un soutien
c. Des absences répétées : un absentéisme

Information**

■ **Compréhension guidée**

	Vrai	Faux
1. Il s'agit d'une information sur le fonctionnement de l'administration scolaire.		X
2. Toutes les institutions scolaires possèdent un règlement.	X	
3. Toutes les personnes qui fréquentent l'établissement doivent respecter le règlement.	X	
4. C'est l'administration qui décide du règlement.		X
5. Si les élèves ne respectent pas le règlement, ils sont punis.	X	
6. Tous les établissements scolaires doivent respecter le même règlement.		X
7. Le règlement intérieur doit être en accord avec la loi.	X	
8. Dans la classe, il est interdit d'utiliser un téléphone portable et de porter une casquette.	X	
9. Les collégiens peuvent aller au café entre deux cours.		X
10. Les lycéens doivent obligatoirement aller en salle d'études quand un professeur est absent.		X

■ Enrichissement lexical

❶
a. Les élèves doivent respecter le règlement de leur établissement.
b. Les produits importés doivent respecter la réglementation européenne.
c. L'école ne peut pas à elle seule régler tous les problèmes de la société.
d. Au moment des grands départs pour les vacances d'été, il est nécessaire de réguler le trafic automobile.
e. Chez moi, il était interdit de regarder la télévision après 22 heures, c'était une règle que tous les enfants devaient respecter.

❷
a. En France, la plupart des enseignants sont rémunérés par l'État.
b. Depuis 1882, l'enseignement est obligatoire, gratuit et laïc.
c. À l'école primaire, les professeurs enseignent plusieurs matières.
d. Lors du conseil de classe, les enseignants ont demandé l'exclusion d'un élève perturbateur.
e. Les lycéens sont descendus dans la rue pour protester contre la réforme de l'enseignement proposée par le ministre de l'Éducation nationale.

❸
a. Le conseil de discipline a sanctionné le comportement inacceptable de cet élève.
b. La sanction est sévère, mais juste.
c. Cet élève turbulent a été sanctionné pour son attitude en classe.
d. Il a eu deux heures de colle, voilà une sanction bien méritée !

L'enseignement supérieur

Échange**

■ Compréhension guidée

À propos d'Annabelle	Vrai	Faux	On ne peut pas savoir.
1. Elle prépare un master en langue et civilisation étrangères.		X	
2. Elle a un niveau correspondant à six années d'études dans l'enseignement supérieur.		X	
3. Elle s'est préparée normalement à ses examens.			X
4. Elle a présenté le concours d'entrée dans une grande école.		X	
5. Elle a l'intention de s'inscrire en thèse.	X		
6. Elle voudrait être enseignante dans une université.	X		
7. Elle est prête à accepter n'importe quel poste dans n'importe quelle université.	X		
8. Elle pense qu'au lycée, les élèves sont plus encadrés qu'à l'université.	X		
9. Elle dit que le CROUS l'a aidée à trouver des petits boulots.			X
10. Elle a adhéré à un syndicat étudiant.	X		
11. Il y a deux ans, elle a été élue au conseil d'administration de son université.	X		

■ Enrichissement lexical

A.

❶ Soutenir sa thèse
☐ **a.** Être aidé pendant sa thèse

□ **b.** Être financé pour rédiger sa thèse

☒ **c.** Présenter et défendre sa thèse

❷ Un débouché

☒ **a.** Une perspective d'emploi

□ **b.** Une demande d'emploi

□ **c.** Une offre d'emploi

B.

❶

a. Au début, elle a eu des difficultés à s'intégrer dans sa nouvelle école.

b. Son rêve était d'intégrer l'armée de l'air mais sa mauvaise vue a dû le faire renoncer à ce projet.

c. Les émeutes des banlieues ont révélé les difficultés d'intégration des jeunes issus de l'immigration.

d. L'école a été critiquée pour ne pas avoir joué son rôle d'intégration.

e. Pour trouver une solution à notre problème, il serait bon dans un premier temps d'intégrer tous les paramètres.

❷

a. La police a mis en évidence l'implication du maire dans cette affaire de corruption.

b. La fermeture de l'usine aura des implications dans toute la région.

c. Son fils a été arrêté, il était impliqué dans de nombreuses affaires suspectes dont un trafic de drogue international.

d. Il ne comprend pas pourquoi il a été licencié, il s'était impliqué dans son travail dès son embauche.

e. S'il accepte ce poste, cela implique qu'il devra déménager.

❸

a. Dans les avions, je réserve toujours les sièges coté hublot quand c'est possible.

b. L'accouchement s'est bien passé bien que le bébé se soit présenté par le siège.

c. Le siège officiel du parlement européen se trouve à Strasbourg.

d. Le siège de La Rochelle, ordonné par Louis XIII et commandé par Richelieu, a commencé le 10 septembre 1627 et s'est terminé par la capitulation de la cité, le 28 octobre 1628.

e. Il siège au conseil d'administration de plusieurs associations.

f. En l'absence d'événements particuliers la plupart des assemblées parlementaires en Europe siègent les mardis, mercredis et jeudis.

Information***

■ Compréhension guidée

❶ Quelles sont les deux causes principales de l'inquiétude des étudiants ?

a. La qualité de la formation.

b. Les débouchés.

❷ Quelles solutions peut-on apporter pour diminuer le nombre d'étudiants qui quittent l'université sans diplôme ?

a. Une meilleure orientation des bacheliers.

b. La possibilité de changer d'orientation.

❸ Quelles difficultés rencontrent les étudiants qui entrent à l'université ?

Des difficultés liées à l'organisation du travail et au manque d'encadrement.

❹ Pourquoi de nombreux étudiants ont-ils des difficultés financières ?

L'enseignement supérieur s'est démocratisé, et les étudiants issus de milieux modestes sont plus nombreux qu'autrefois.

❺ Comment peuvent-ils améliorer leur situation financière ?

En demandant des bourses et en exerçant de petits boulots.

❻ Combien d'étudiants ont pu bénéficier d'une bourse d'étude en 2008 ?

500 000.

❼ Les mesures récentes prises par le gouvernement vont-elles apaiser les conflits ?

C'est peu probable, la contestation dans le milieu étudiant remonte au XVe siècle.

■ Enrichissement lexical

A.

❶ Un malaise
- ☐ **a.** Une maladie
- ☒ **b.** Une inquiétude
- ☐ **c.** Une souffrance

❷ Un cercle vicieux
- ☒ **a.** Une situation dans laquelle on est enfermé
- ☐ **b.** Un raisonnement malhonnête
- ☐ **c.** Un raisonnement logique

❸ Octroyer une bourse
- ☐ **a.** Demander une bourse
- ☒ **b.** Accorder une bourse
- ☐ **c.** Bénéficier d'une bourse

B.

❶

a. Les négociations avec le président de l'université ont échoué, les étudiants ont donc décidé d'occuper les amphis.

b. Elle est arrivée à la 11e place de la compétition, elle a très mal vécu son échec.

c. Trop d'étudiants échouent en première année, ces échecs coûtent cher à la collectivité.

❷

a. Ils se sont perdus dans la forêt, ils n'ont aucun sens de l'orientation !

b. Les touristes ont beaucoup de mal à s'orienter dans ces petites ruelles.

c. Un conseiller d'orientation l'a aidé dans le choix de ses études.

d. Ma famille voulait que je m'oriente vers des études de médecine mais moi, j'ai préféré l'architecture.

❸

a. Pour se construire, les enfants ont besoin d'un réel encadrement.

b. L'enquête a révélé que la mort des dix soldats est en partie due à un manque d'encadrement.

c. Le personnel d'encadrement n'est pas estimé des employés.

Le travail

Échange**

■ Compréhension guidée

	La femme	**L'homme**
1. Quelle est leur profession ?	Restauratrice	Professeur de français
2. Quel est leur volume horaire de travail ?	par jour Environ 12 heures	par semaine Plus de 36 heures
3. Quel est le montant de leur rémunération ?	?	?
4. Quels biens possèdent-ils ?	– Une résidence principale – Une résidence secondaire	?
5. Quels sont les avantages de leur profession ?	– Le contact avec la clientèle	– Le contact avec la jeunesse – Le plaisir de transmettre un savoir
6. Quels sont les inconvénients de leur profession ?	– Les horaires – La fatigue physique – Les risques financiers – La gestion comptable – La gestion du personnel	– La rigidité des institutions – La lenteur des prises de décision – La rigidité des programmes – La longueur des démarches administratives pour organiser des activités

■ Enrichissement lexical

A. Choisissez les mots ou expressions de sens équivalent aux mots ou expressions entendus.

❶ La fourchette où se situe votre rémunération

☐ **a.** Le montant maximum de votre rémunération

☐ **b.** Le montant minimum de votre rémunération

☒ **c.** L'écart entre votre rémunération minimale et votre rémunération maximale

❷ La rigidité de l'institution
☐ **a.** Le manque de rigueur de l'institution
☒ **b.** Le manque de souplesse de l'institution
☐ **c.** Le manque de sérieux de l'institution

❸ Les démarches administratives
☐ **a.** Les déplacements administratifs
☐ **b.** Les exigences de l'administration
☒ **c.** Les demandes faites auprès de l'administration

❹ Fidéliser le personnel
☒ **a.** Rendre le personnel attaché à une entreprise
☐ **b.** Embaucher du personnel fiable
☐ **c.** Être en confiance avec le personnel

B.

1	2	3	4	5	6	7	8	9
f	b	f	c	d	a	e	d	g

Information***

■ Compréhension guidée

A.

Les conditions de travail des Français	
1. Durée légale du temps de travail instaurée en 2000.	35 heures hebdomadaires
2. Nombre légal de semaines de vacances	Cinq semaines par an
3. Nombre de jours de vacances pris en 2008.	36 jours

B.

❶ Dans quel pays le nombre annuel des heures travaillées est le plus important ?
☐ **a.** L'Italie
☒ **b.** L'Angleterre
☐ **c.** L'Allemagne
☐ **d.** La France

❷ Quel pays a le rendement horaire le plus important ?
☐ **a.** L'Italie
☐ **b.** La Suède
☒ **c.** La France
☐ **d.** L'Allemagne

C.

Les Français :	Cliché	Réalité
1. n'aiment pas travailler.	X	
2. sont très souvent en grève.	X	
3. ont un très bon rendement à l'heure.		X
4. sont toujours en vacances.	X	
5. considèrent le travail comme un élément important de leur développement personnel et de leur bien-être.		X
6. accordent plus d'importance aux conditions de travail qu'au salaire.		X

■ Enrichissement lexical

A.

❶ Une réalité tangible
- ☐ **a.** Une réalité étrange
- ☒ **b.** Une réalité concrète
- ☐ **c.** Une réalité contestable

❷ L'assouplissement des règles
- ☒ **a.** L'aménagement des règles
- ☐ **b.** Le changement des règles
- ☐ **c.** La suppression des règles

❸ Une polémique
- ☐ **a.** Un échange
- ☒ **b.** Une controverse
- ☐ **c.** Une négociation

B.

❶
a. L'annonce des licenciements est à l'origine de la situation conflictuelle qui nous préoccupe.
b. Les négociations bipartites devraient éviter un conflit armé.
c. Les parents de grands adolescents vivent parfois mal le conflit de générations.
d. Au sein de ce couple, les rapports sont visiblement conflictuels.

❷
a. La France et l'Italie sont les premiers pays producteurs de vin dans le monde.
b. Si la productivité de cette entreprise est insuffisante pour faire face à la concurrence, les actionnaires suggéreront de délocaliser la production.
c. Sa banque lui propose des placements financiers très productifs mais très risqués.
d. Il y a des races de vaches laitières plus productives que d'autres.
e. Les producteurs de fruits et légumes protestent contre les prix pratiqués dans la grande distribution.
f. Les produits issus de l'agriculture biologique sont malheureusement plus chers que les autres.
g. J'ai un bon scénario mais, sans producteur, je ne pourrai pas réaliser mon film.
h. Pour s'inscrire à la bibliothèque il faut produire un justificatif de domicile.

i. Les produits de ses placements financiers représentent une partie importante de ses revenus.
j. Chaque jour, un Français produit en moyenne un kilo de déchets.

a. Il a des prétentions de rémunération qui ne sont pas justifiées si on considère son expérience et ses diplômes.
b. Certains employeurs font systématiquement travailler des stagiaires qu'ils rémunèrent peu ou pas du tout.
c. Le travail à domicile permet d'avoir une activité rémunératrice tout en restant chez soi.
d. Les parents rêvent très souvent pour leur enfant d'un emploi stable et rémunérateur.

Transcriptions

Chapitre *1* — La **France**

Échange

— Bonjour ! En vous entendant parler, j'ai constaté que vous aviez un petit accent.

— J'ai l'accent du midi, je viens de Nice, je suis niçoise d'adoption ; d'adoption parce qu'en fait, je suis Corse, je suis née à Ajaccio et j'ai grandi là-bas jusqu'à l'âge de 17 ans.

— L'ambiance de la Côte d'Azur ne vous manque pas trop ?

— Ici, à Grenoble, je dois dire que je me suis bien habituée à la vie ici, dans le Dauphiné, les gens sont très agréables, mais il me manque le climat et l'ambiance méditerranéenne, les couleurs, la cuisine.

— La couleur des maisons à Nice c'est, c'est ça ?

— Nice est une ville très jolie, très pittoresque qui a été marquée par l'influence italienne qu'on peut remarquer en visitant notamment la vieille ville avec ses maisons ocres, jaunes avec des volets verts, un petit peu comme si vous allez en Italie.

— Et la montagne, vous l'avez aussi à Nice, finalement.

— La montagne, nous l'avons dans l'arrière-pays niçois qui est très proche, à une heure et demie, nous pouvons... non seulement nous traversons l'arrière-pays niçois, mais nous allons aussi dans les stations de ski l'hiver, donc la montagne n'est pas très loin mais elle n'est quand même pas aussi proche qu'à Grenoble.

— Et... on parle de Grenoble comme une ville chère, c'est le cas aussi à Nice, hein, j'imagine...

— Grenoble est une ville chère. J'ai cru entendre que Grenoble pour l'immobilier avait beaucoup augmenté ses prix. À Nice c'est le double hein, Nice c'est la deuxième ville après Paris pour l'immobilier.

— Pour ce qui est de la population, comment vous voyez ça ?

— Ah ! Les gens ne sont pas tellement différents, apparemment ils sont un petit peu plus extravagants à Nice au départ mais je dirais plutôt que la composition de la population est différente puisqu'à Grenoble, il y a une population de chercheurs, de cadres. Il y a beaucoup de jeunes, d'universitaires, alors qu'à Nice, même si c'est une ville qui monte, une technopole avec l'université de Sophia Antipolis qui est très importante, il y a quand même beaucoup de retraités et il y a un tourisme différent, c'est un tourisme du littoral.

— Donc vous m'avez dit que vous étiez Corse. Est-ce que vous souhaiteriez retourner vivre et travailler en Corse si vous en aviez la possibilité ?

— Alors, je souhaiterais retourner certes, au bord de la Méditerranée parce que comme je vous l'ai dit, il y a des choses qui me manquent, la cuisine à l'huile d'olive, les produits de la mer, mais en Corse pas du tout, parce qu'il y a une mentalité très particulière, une mentalité d'insularité, les gens sont assez méfiants vis-à-vis des touristes.

— Bon, et tout ce qu'on dit à propos des Corses qui entache un peu la réputation de l'île ?

— Il n'y a quand même pas trois cent mille autonomistes ; c'est vrai qu'il y a une petite minorité qui alimente les clichés avec leurs coups de feu, leurs explosions mais la Corse ne peut absolument pas être réduite à cela.

— La méfiance vis-à-vis des touristes n'est pas le fait de toute la population ?

— Non, ça vaut le coup d'aller en Corse.

Information

La France n'a pas toujours eu les mêmes frontières et le français n'a pas toujours existé.

Les Celtes (autrement dit les Gaulois) ont envahi, entre 500 et 700 avant J.-C., un territoire occupé par des peuples parlant différentes langues. Les Gaulois écrivaient peu, on connaît donc mal cette langue, on peut simplement dire que c'est un proche parent de la langue vivante qu'est l'actuel breton.

Jules César a conquis la Gaule en 58 avant J.-C. et l'occupation romaine, qui a duré plus de 500 ans, a apporté une nouvelle langue et une nouvelle civilisation. Le latin s'est peu à peu substitué à la langue gauloise. Plus tard, parmi les envahisseurs germaniques, ce sont les Francs, venus dès le IIIe siècle de régions allant du Rhin à la mer du Nord, qui ont eu une influence dominante pour ce qui allait devenir le français.

Un nouveau mélange linguistique s'est effectué, la langue parlée s'est un peu écartée du latin et a subi les influences germaniques ; le latin reste cependant la langue des actes juridiques, de l'université et de l'église.

Dès le IXe siècle, apparaît une langue commune nécessaire aux échanges, le francien.

C'est le dialecte de l'Île-de-France car Paris, grâce à ses voies d'eau, est un lieu de rencontres. La langue du roi devient une langue de prestige en usage dans les affaires mais c'est aussi une langue littéraire, utilisée pour la rédaction de poèmes ou l'adaptation, en vers ou en prose, de textes bibliques.

À la fin du Moyen Âge c'est-à-dire vers 1500, la France est, comme tous les autres pays d'Europe, un pays où coexistent une multitude de dialectes qui varient considérablement d'une région à une autre. On distingue les langues d'*oïl* au Nord, et les langues d'*oc* au Sud, appelées ainsi parce que *oïl* et *oc* étaient deux manières différentes de dire oui dans ces parlers.

Au XVIᵉ siècle, le français s'officialise et en 1539, le roi François 1ᵉʳ impose la pratique du français à la place du latin dans tous les actes juridiques et administratifs.

Déjà parlé en Angleterre au Moyen Âge, le français s'impose peu à peu comme langue de la diplomatie et de l'aristocratie européenne.

En 1635, Richelieu fonde l'Académie française qui, depuis cette date, fixe la langue, codifie l'orthographe et rédige un dictionnaire.

En 1881 et 1882, les lois qui rendent l'enseignement primaire obligatoire jouent un rôle capital dans l'uniformisation de la langue et font disparaître peu à peu bon nombre de parlers locaux.

En mai 2008, l'Assemblée nationale, considérant que les langues régionales appartiennent au patrimoine de la nation, a inscrit la reconnaissance des langues régionales dans la Constitution.

L'Académie française s'inquiète de ces décisions qui, selon elle, portent atteinte à l'identité nationale.

Chapitre *2* – Le **calendrier**

Échange

— Si vous considérez l'année civile en France, madame, quels sont les événements culturels sportifs qui vous viennent à l'esprit ?

— Alors, les événements sportifs, ce sera très rapide : Il y a le Tour de France tout d'abord parce que ça, personne ne peut y échapper ; en été, c'est un événement populaire, mais qui moi m'intéresse peu, hein, qui est le tour de France cycliste. Et puis il y a le tournoi de Roland Garros en tennis au mois de juin...

— Juin, oui.

— ...parce que bon, je suis entourée de joueurs de tennis, mais moi le sport ne m'intéresse pas vraiment.

— Et sur le plan culturel peut-être ?

— Alors sur le plan culturel oui, disons qu'un événement qui est marquant pour moi, c'est la rentrée littéraire parce que je m'intéresse aux prix, j'aime aller chez les libraires, le festival du cinéma au mois de mai à Cannes, parce que bon j'aime aller au cinéma.

— Avignon ? Le théâtre ?

— Le théâtre ne m'intéresse pas, le théâtre ne m'intéresse, pas du tout, je dois dire. C'est peut-être curieux mais c'est comme ça.

— Et en septembre, les journées du patrimoine ?

— Ben, les journées du patrimoine, je trouve ça intéressant, mais personnellement je ne visite ni musée ni bâtiment public à ce moment-là parce qu'il y a trop de monde même si c'est intéressant de les ouvrir au public alors qu'habituellement, ils sont plutôt fermés.

— Et quant aux manifestations populaires, 14 juillet et autres fêtes de ce type ?

— Ben oui, ça pour moi ça évoque l'enfance et puis ces manifestations populaires, je les associe à des mets ou à des plats. Quand je pense, je ne sais pas, à l'Épiphanie, je pense à la galette des rois.

— Les crêpes de la Chandeleur ?

— Voilà et puis les gâteaux particuliers qu'on fait pour le mardi gras. Voilà, c'est à peu près tout.

— Et bien je vous remercie.

— Je vous en prie.

Information

Du mot latin *calendæ* (premier jour du mois chez les Romains), le calendrier romain était initialement lunaire. Il ne comptait que dix mois nommés, d'après leur ordre dans l'année.

L'année commençait le 1ᵉʳ mars, mois très important à Rome car associé au dieu de la guerre. Cette répartition a laissé des traces aujourd'hui : nos derniers mois de l'année s'appellent ainsi septembre, octobre, novembre, décembre ce qui signifie respectivement septième, huitième, neuvième et dixième mois alors qu'ils occupent les neuvième, dixième, onzième et douzième places.

Le calendrier fut revu sur les conseils d'un astronome grec, en 46 avant J.-C., sous le règne de Jules César. Il est devenu solaire et le début de l'année fut déplacé du 1er mars au 1er janvier. La création d'une année bissextile sur quatre portait l'année à 365 jours. En 532, l'Église décide de faire commencer l'année au 1er janvier, mois qui suit immédiatement la naissance du Christ, fixée au 25 décembre.

En 1564, le roi Charles IX impose le 1er janvier comme point de départ de chaque année et en 1582, un nouveau calendrier est élaboré sous l'autorité du pape Grégoire XIII pour remédier aux imperfections du calendrier julien. Ce calendrier donne un temps moyen de 365, 2425 jours par an. Pour assurer un nombre entier de jours par an et pour correspondre à la réalité solaire, tous les quatre ans en principe, on y ajoute un jour, le 29 février. Ces années sont dites bissextiles. Cette réforme fut mise en place progressivement mais lentement par les états jusqu'au début du XXe siècle.

En 1792, la République est proclamée. Pour rompre avec l'ordre ancien, la convention nationale institua le calendrier républicain qui comptait douze mois de 30 jours plus cinq jours complémentaires consacrés à la célébration des fêtes républicaines.

L'an 1 de la république commençait le 22 septembre 1792 et les noms des mois et des saisons faisaient référence à des événements climatiques ou à des travaux agricoles.

La France n'avait plus le même système que le reste de l'Europe et le retour à l'ancien système est devenu nécessaire. Le 1er janvier 1806, Napoléon signe le décret qui marque l'abandon du calendrier révolutionnaire et instaure le retour au calendrier grégorien.

Le calendrier grégorien garde les traces de son origine religieuse. L'usage d'une date de fête liée à chacun des prénoms remonte aux XVIe et XVIIe siècles quand l'Église catholique et romaine imposait de choisir des prénoms parmi une liste de ses saints. Des dictons sont associés également aux saints du calendrier. Ils proviennent de l'observation de la nature, du ciel ou du comportement des animaux.

Encore aujourd'hui, les bulletins météorologiques télévisés ne manquent jamais de citer le saint du jour et le dicton qui lui est associé.

Chapitre *3* — La **famille**

Échange

— Et quelle est votre situation en regard de l'état civil ? Vous êtes mariée, pacsée, séparée... ?

— Alors, écoutez, je suis divorcée et puis je vis maritalement.

— Et pourquoi, pourquoi ce choix ?

— Pourquoi ce choix ? Et ben, écoutez, j'ai été mariée pendant de nombreuses années. J'ai eu, comme souvent quand il y a des enfants, un divorce douloureux, pénible... sur le plan de la procédure, puisqu'en France on se marie devant le maire mais on divorce devant le juge des affaires matrimoniales. C'est-à-dire que, il a fallu négocier, pour la pension alimentaire, pour la garde des enfants... toutes choses assez pénibles, lorsque nous sommes dans une situation de rupture sentimentale et je ne voudrais pas repasser par ce... ce... par cette procédure. J'ai repris mon nom de jeune fille... avec plaisir... et je n'ai pas envie de... de recommencer un mariage, finalement.

— Et vous n'avez pas l'intention d'avoir d'autres enfants ?

— Non, je n'ai pas l'intention d'avoir d'autres enfants... et puis même si c'était le cas, ce ne serait pas plus compliqué hors mariage que dans le mariage.

— Et votre compagnon ne tient pas à... à un mariage, disons, officiel ?

— Et traditionnel ?

— Et traditionnel.

— Peut-être que si, parce que mon compagnon est catholique et... je pense que si... si on devait se marier, il serait très attaché à... au côté sacrement de... du mariage mais comme je suis divorcée, l'Église, enfin l'institution n'accepterait pas de nous marier religieusement.

Information

La France a mis en œuvre une véritable politique familiale dès le XIXe siècle et c'est à partir des années 60 que cette politique a évolué de façon considérable.

En 1965, une loi réforme les régimes matrimoniaux : le mari ne peut plus s'opposer à l'exercice par son épouse d'une profession séparée. Chaque époux peut ouvrir, en son nom propre, un compte dans une banque.

En 1966, une loi modifiant les conditions d'adoption est promulguée. L'enfant adopté bénéficie des mêmes droits que l'enfant légitime, notamment en ce qui concerne l'héritage. De plus, l'adoption n'est plus réservée aux couples mariés mais peut désormais être demandée par toute personne âgée d'au moins 35 ans.

Dans les années 70, plusieurs lois importantes réforment le statut de la famille comme la loi sur l'autorité parentale ou bien celle sur le divorce.

Auparavant, l'époux était considéré comme le chef de famille. À partir de la loi de juillet 1970, l'autorité parentale doit être exercée conjointement par les deux époux.

Cinq ans plus tard, une loi précise les rôles de chacun :
– chaque époux peut passer seul des contrats concernant le ménage ou l'éducation des enfants,
– l'épouse peut choisir librement une profession, sans le consentement de son conjoint,
– chaque époux peut disposer librement de ses rémunérations après s'être acquitté des charges du ménage.

En 1975, la loi dite «Veil», du nom de la ministre de la Santé de l'époque, légalise l'interruption volontaire de grossesse, dans des conditions bien déterminées.

En ce qui concerne les prestations accordées aux familles, dans les années 1980 et les décennies suivantes, on passe peu à peu d'une logique d'aide et de protection à une logique de correction des inégalités sociales. Si les allocations familiales sont liées au nombre d'enfants, quels que soient les revenus de la famille, en revanche de nombreuses aides sont octroyées en fonction de la situation financière du foyer.

Aujourd'hui, la notion de famille recouvre des réalités très diverses : couple marié ou non, avec enfant ou non, parent isolé avec enfant ou famille recomposée. La famille nucléaire n'est plus le modèle familial unique ; de nouveaux types de liens familiaux sont nés. Ils sont devenus courants et sont tout à fait acceptés. Malgré ces changements, la famille constitue toujours le groupement fondamental de la société française.

Chapitre 4 — La **table**

PLAGE 7

Échange

— Bonjour ! Est-ce que vous pouvez me parler des repas que vous prenez dans la journée, de vos habitudes… ?

— Oui, le matin donc, on déjeune tous ensemble avec les enfants. On prend un petit-déjeuner assez copieux avant le départ à l'école, donc du café, des céréales, des tartines, voilà, pour qu'ils soient prêts pour la journée.

— Et chez vous, monsieur, c'est pareil ?

— Le petit-déjeuner très peu pour moi. J'ai peu de temps, je pars très vite de chez moi donc je prends juste un café noir ; je n'ai d'ailleurs aucun appétit le matin. Je fume une cigarette sur le chemin du travail et puis voilà.

— Et à midi ?

— À midi, et ben à midi, c'est un petit peu la journée continue. On a une pause de midi qui est très, très courte donc je mange sur place au restaurant d'entreprise ; on ne peut pas se plaindre d'ailleurs, c'est tout à fait… ce n'est pas très cher, c'est, c'est rapide, c'est copieux, c'est équilibré, il n'y a rien à dire.

— D'accord. Et vous madame, pour votre déjeuner ?

— Alors moi à midi j'ai tendance à prendre les restes du repas de la veille quand il y en a. Ce n'est pas toujours le cas,… il m'arrive aussi d'aller prendre un… chercher un plat à emporter, chez un traiteur, avec les… en payant avec des tickets restaurant… voilà. Ce que je préfère c'est, les jours où il fait beau, aller manger au square, ou au parc, pour profiter un peu de… de… de l'extérieur et quand j'ai envie d'être tranquille, je vais prendre un café dans un bistro.

— Et le soir comment ça se passe ?

— Alors le soir, c'est le… voilà, pour nous c'est le moment de convivialité : on essaie d'être, d'être tous ensemble. On tient absolument à dîner tous ensemble donc on dîne un peu tard parce que mon mari rentre relativement tard du travail,… c'est un moment où les enfants vont partager ce qu'ils ont fait dans la journée, où on essaie d'avoir un moment de parole ensemble. On en profite aussi, surtout le week-end, pour cuisiner avec les enfants. C'est un moment où on va leur apprendre un petit peu, voilà, à mettre les mains à la pâte et à découvrir un petit peu… les cuisines du monde, des saveurs nouvelles et puis les soirs de fête, on fait des crêpes : c'est ce que préfèrent les enfants.

— Et monsieur ?

— Pour le repas du soir, c'est pas trop tôt : 20 h-20 h 30. Mon épouse rentre un petit peu plus tard que moi, donc c'est moi qui prépare la cuisine. Je prends souvent avant un petit apéro avec les copains, d'ailleurs. Et puis bon, on fait un petit peu plus de cuisine en fin de semaine. C'est toujours moi qui fait les plats salés hein. J'aime bien faire des bons plats comme le couscous, les plats en sauce, blanquette de veau, bœuf bourguignon... Ma femme, elle, ce serait plutôt les desserts voyez, les œufs à la neige, de la mousse au chocolat, les tartes le week-end parce qu'on aime bien recevoir les amis. C'est convivial les grands plats, on reçoit tout le monde...

— D'accord, et est ce que vous allez souvent au restaurant en famille ?

— Nous, le restaurant, rarement hein parce que ça reste quelque chose qui est cher quand on y va en famille. Alors je dirai que c'est réservé aux grandes occasions, aux moments où on a envie de fêter un anniversaire ou quelque chose et souvent, on va dans des restaurants assez simples.

— Et monsieur, vous allez au restaurant de temps en temps ?

— Oui ...Non c'est plutôt exceptionnel également hein. D'abord, c'est coûteux, c'est coûteux et à vrai dire ce n'est pas très copieux.

— D'accord...

Information

Les caractéristiques remarquables de chaque vin en France dépendent de trois éléments fondamentaux :
– le terroir, c'est-à-dire le lieu où se trouvent les vignes ;
– les cépages, c'est-à-dire les différents types de plants de vigne ;
– et le savoir-faire des viticulteurs, c'est-à-dire l'art de chaque viticulteur dans l'élaboration de son vin.
Le terroir, c'est la terre, le lieu où poussent les pieds de vigne. La qualité du terroir dépend du sol (riche ou pauvre), du climat, de l'exposition au soleil et aux vents. Il est certain que des vins produits au Sud-Est de la France, là où il fait beau, où le soleil est chaud, seront très différents des vins produits en Champagne où le sol n'est pas de même nature et où le soleil est beaucoup plus rare.
Les cépages, ce sont les plants de vigne qui portent le raisin. Comme il y a des pommiers différents qui produisent des pommes différentes, il y a en France des cépages différents (plus de 100) qui donnent des raisins différents. Bien sûr, il y a des raisins à peau noire et à peau blanche, des raisins à chair blanche et à chair rouge, mais il y a bien d'autres différences qui font que les vins français ont des arômes, des parfums si subtils et si complexes. Certains vins proviennent presque exclusivement d'un seul cépage, comme le Gamay dans le Beaujolais alors que le Châteauneuf du Pape, dans le Sud-Est, peut être composé avec treize cépages, ce qui lui donne son goût extraordinaire. Certains cépages sont très adaptés à certaines régions et à certains terroirs, comme la Syrah et le Grenache dans le Sud-Est, le Chardonnay et le Pinot noir en Bourgogne, le Merlot, le Cabernet-Sauvignon et le Cabernet-Franc dans la région de Bordeaux. Les AOC (Appellation Origine Contrôlée) imposent un certain pourcentage de cépages particuliers. Et enfin, le savoir, l'art des viticulteurs. Le travail des viticulteurs a beaucoup évolué depuis une quinzaine d'années. Il est devenu de plus en plus scientifique. Les progrès de l'œnologie, ou science du vin, permettent aujourd'hui de contrôler le vin à chaque étape de son élaboration et d'éviter bien des erreurs. Cependant, il reste au viticulteur, une part de liberté où il peut exercer son art et son imagination afin que son vin devienne exceptionnel.

Chapitre 5 – La **santé**

Échange

— Oh, bonjour madame, comment allez-vous ?

— Bonjour monsieur.

— Alors je vois que vous avez une ordonnance !

— Oui.

— Alors, c'est donc le docteur Perrier qui vous envoie... alors je vois... bon d'accord, vous avez quelques remèdes homéopathiques.

— Oui et aussi... pas seulement de l'homéopathie. Vous avez vu, j'ai des antibiotiques aussi.

— Ah oui, vous avez des antibiotiques en effet. Bon, alors moi, je vous propose, surtout pour ces molécules-là, quelques médicaments génériques.

— Et ce sera pareil ?

— Ça sera pareil, vous avez du...

— C'est tout aussi efficace ?

— Tout aussi efficace, oui. Vous en avez sûrement entendu parler. Il y a eu plusieurs émissions à la télévision. On vous propose une même molécule à un prix moindre. C'est une manière de lutter contre le déficit de la Sécurité sociale.

— Bon, ben, écoutez si c'est... si vous me dites que c'est aussi efficace et que c'est moins cher, je suis d'accord bien sûr !

— Je vous le garantis !

— Bon ! D'accord !

— Alors, est-ce que... Ah ! les vitamines, vous les préférez sous forme d'ampoules ou de gélules ?

— Bof ! Si c'est la même chose j'aime mieux... des gélules en fait. Ça ne sera pas plus long le traitement ?

— Non, non, bien sûr que non hein ! Donc...

— Et pour le remboursement, c'est pareil ?

— Alors pour le remboursement, je pense qu'on vous fait le tiers payant. Alors le tiers payant... est-ce que vous avez votre carte vitale ?

— Oui, oui bien sûr ! Mais je vous l'ai déjà montrée parce que je suis déjà venue dans votre pharmacie ! Ah ! oui. D'accord !

— Et le tiers payant, je l'ai ici.

— Ah ! oui. Mais la carte vitale il faut la présenter à chaque fois maintenant !

— D'accord, bon ben écoutez, la voilà.

— D'accord, merci.

Information

La pénurie de médecins menace la France, et ceci dès 2008.

Comment expliquer cette crise de la démographie médicale ?

Tout d'abord, entre 1983 et 1993, le nombre d'étudiants en médecine a diminué. En effet, au cours de ces années, une surpopulation médicale, reconnue par les professionnels, a conduit l'État à sélectionner les étudiants à l'issue de la première année. La limitation du nombre d'admis en deuxième année s'appelle le *numerus clausus*.

La deuxième raison est l'augmentation notable des médecins partant à la retraite. En effet, dans les prochaines années, le nombre de praticiens cessant leur activité sera plus important que celui des jeunes médecins commençant leur carrière et cet écart devrait s'accroître progressivement.

Former de nouveaux médecins nécessite du temps et si la France comptait 207 277 médecins en 2006, elle n'en aura plus que 186 000 en 2025 malgré l'augmentation, en 2004, du nombre d'étudiants admis en première année.

Enfin, l'espérance de vie de la population française augmente régulièrement et la demande de soins exprimée par une population vieillissante est croissante.

Cette pénurie devrait s'accompagner d'une aggravation des inégalités entre les régions. Plus de 2 millions de Français vivent dans des départements où le nombre de médecins risque d'être bientôt insuffisant. Ce problème devrait s'amplifier, notamment dans les zones rurales. Des sondages font apparaître que 60 % des jeunes praticiens ne souhaitaient pas s'installer à la campagne.

Conscientes de ce problème, certaines communes rurales sont prêtes à financer les études d'un étudiant en contrepartie de son installation à l'issue de sa formation. D'autres communes ont choisi d'aider de jeunes médecins à s'installer en mettant gracieusement des locaux à leur disposition.

Le manque de médecins se fait également sentir en milieu hospitalier pour certaines spécialités. Les établissements de soins n'hésitent pas à faire appel à des praticiens étrangers, notamment des médecins originaires des pays de l'Est de l'Europe ou d'Afrique du Nord, qui ont suivi une spécialisation dans les universités françaises et qui envisagent d'exercer leur activité professionnelle en France.

Chapitre 6 — Les **loisirs**

Échange

— Salut Thierry ! Comment ça va ?

— Salut Roselyne ! Bon ben ça va, ça va... les vacances sont terminées hein !

— Et ça c'est bien passé ?

— Ben oui !

— Tu es rentré quand ?

— Ben ça fait une semaine... tu sais... on a repris le boulot donc... voilà quoi.

— Tu les as passées où ? Comment ?

— Ben... Tu sais hein, j'ai été six mois au chômage l'année dernière. Alors bon, les moyens n'étaient pas... géniaux hein : c'était un peu limité comme, bon... la belle famille... On est allé à la campagne, tu sais ils ont une maison, donc on profite de la maison de mes beaux-parents !

— Oui. Et toute la famille était là ? Les enfants aussi ?

— Toute la famille, ma belle-sœur... ben, les enfants, non, les enfants on va dire... on s'en est «débarrassé».

— On les a mis en camp d'ados !

— Ah ! ouais ! Et c'est cher ? Parce que vous en avez trois quand même !

— Oui, oui trois bon ben...

— Combien de temps vous les avez mis ?

— Trois semaines !

— Trois semaines les trois et...

— Il y a une prise en charge quand même, tu sais. C'est indexé au quotient familial donc ça arrange bien les choses quand même !

— Et la prise en charge, c'est quoi ? C'est la CAF ?

— Oui, la CAF oui.

— Ah ! C'est bien ! Remarque... Ils étaient contents, les gamins ?

— Ben, très contents. Tu sais, quand ils n'ont pas les parents sur le dos, hein, ils sont contents !

— Et les autres, les moniteurs ? Tout ça, ça c'est bien passé ?

— Oui, les moniteurs, très bien, très contents. Il y avait un très bon animateur. Ils ont fait du théâtre... enfin, bon voilà...

— Et là, tu as épuisé toutes tes vacances ou il t'en reste un peu ?

— Non, fini !

— Fini, les cinq semaines !

— Maintenant, boulot, boulot, boulot !

— Aie ! aie ! aie ! Alors j'ai encore un petit peu là mais ... bon, moi je suis allée... tu sais, j'avais déjà pris beaucoup de jours pour les ponts ... donc il me restait encore un petit peu de vacances et puis je suis partie avec le comité d'entreprise. Alors bon, avec le CE, c'est bien... c'est bien sauf que bon, tu te retrouves avec des collègues !

— Ah ! oui ! C'est ça, mais c'est insupportable !

— Oui mais... enfin non, ben écoute, ça dépend. Moi je travaille dans une grosse boîte donc il y a beaucoup de monde et puis quand même tu sais, comme il y a les chèques-restaurants, il y a les chèques-vacances, donc quand même, c'est une aide !

— Ah ! oui ! Ce n'est pas cher quoi !

— Ben, ce n'est pas donné, c'est toujours la même chose, mais c'est une aide ! Donc non, non je suis assez contente, je crois que je renouvellerai l'expérience.

— Bon ben écoute : ça c'est une bonne chose alors. Ben, dans mon nouvel emploi, j'espère que j'ai droit aussi aux chèques-vacances.

— Ben, il n'y a pas de raison, ça dépend de ta boîte, hein.

Information

En France, les salariés bénéficient en moyenne de 39 journées de congés payés par an, sans compter parfois des journées supplémentaires de toute nature (mariage, paternité, maternité, déménagement, enfant malade). Seules certaines catégories d'actifs disposent aujourd'hui de moins de quatre semaines de congé par an. Il s'agit essentiellement de travailleurs indépendants (professions libérales, artisans, commerçants, agriculteurs). Les vacances occupent une place importante dans une société qui n'est plus comme par le passé centrée sur le travail, mais sur le temps libre.

Cependant, malgré l'accroissement de ce temps libre, le taux de départ en vacances n'augmente plus depuis 15 ans, cela s'explique par le sentiment, fondé ou non, d'une baisse du pouvoir d'achat.

Les inégalités sont très marquées entre les catégories sociales : seuls 48 % des ouvriers partent en vacances contre 90 % des cadres et assimilés.

Les «grandes vacances» restent concentrées sur la période 15 juillet-15 août et concernent essentiellement le tourisme bleu, orienté vers la mer et plus largement vers l'eau sous toutes ses formes (y compris la thalassothérapie qui associe traitement aquatique et activités sportives et culturelles).

L'augmentation des séjours à la campagne (tourisme vert) confirme l'intérêt des Français pour les vacances rurales. Les raisons en sont la recherche de calme, d'authenticité mais aussi le souci de réduire les dépenses. Les sites du littoral étant plus recherchés, les séjours y sont généralement plus coûteux que dans les régions centrales du pays.

La culture occupe une place croissante et le souci de se cultiver conduit de plus en plus de Français dans les musées, les expositions ou les festivals. Les agences proposent des séjours qui combinent découverte d'une région et pratique artistique.

On assiste également depuis quelques années à un développement spectaculaire du tourisme industriel et technique. L'usine marée motrice de la Rance en Bretagne, le viaduc de Millau qui franchit la vallée du Tarn ou les grands barrages reçoivent des milliers de visiteurs chaque année. Les sociétés du secteur agro-alimentaire sont très appréciées, d'autant plus que les visites sont généralement accompagnées de dégustations (champagne, confiserie, liqueur, charcuterie...).

La grande majorité des vacanciers restent en France et quand ils sortent des frontières de l'hexagone, ce sont l'Espagne, l'Italie et la Grande Bretagne qui ont leur préférence.

Alors que la France détient le titre de première destination touristique mondiale, on peut dire que les Français sont casaniers. Un sur quatre n'a jamais franchi les frontières de son pays et un sur deux n'a jamais visité que des pays frontaliers de la France.

Chapitre 7 — Les **médias**

Échange

— Bon alors Catherine, tu lis ton *Monde* d'il y a trois jours ?

— Oui, c'est vrai que ce n'est pas celui d'aujourd'hui mais, tu sais je ne l'achète pas tous les jours hein parce que ça revient cher et puis le *Monde* c'est, c'est... dense donc il y a beaucoup à lire.

— Enfin, c'est cher, c'est le prix d'un café hein ?

— Ben oui, mais comme je bois mon café en lisant mon journal, ça multiplie le prix.

— Ben, c'est quoi ? C'est 1 euro 30 ?

— Oui à peu près.

— 1 euro 20 ?

— Oui mais tu sais, depuis le passage à l'euro, c'est vrai que tout a augmenté et notamment les quotidiens.

— Alors tu ne lis qu'un journal par semaine ?

— Non, je lis aussi un quotidien régional pour savoir ce qui se passe un peu dans la région.

— Et tu l'achètes ?

— Celui-là, je ne l'achète pas tous les jours non plus. Je vais le lire parfois à la bibliothèque.

— Parce que les salles de lecture se... sont gratuites, en fait ?

— Oui, oui je m'installe là. En principe, c'est assez calme et puis je lis mon journal tranquillement.

— Mais tu lis des magazines aussi ?

— Oui j'aime bien les magazines de jardinage euh...

— C'est vrai ?

— Oui j'ai un petit jardin et c'est vrai que ça me donne plein de conseils, plein d'idées.

— D'accord, oui puis alors moi j'y connais rien dans ces magazines mais je crois qu'il y en a énormément.

— Oui, oui, mais j'ai mon préféré.

— Il y a un public pour les magazines de jardinage. Et tu es plutôt télé ou tu es plutôt radio ?

— Ah ! moi, je suis radio. La télé, je la regarde très, très peu.

— Et la radio, tu écoutes quoi ?

— J'écoute des radios d'info, par exemple le matin, et puis aussi de la musique.

— D'accord. Et tu t'informes avec la télé, tu regardes des journaux télévisés ou… ?

— Je te dis, je regarde très, très peu la télé, oui un journal de temps en temps ou une émission culturelle peut-être, mais comme il y en a très peu, … d'ailleurs je ne paie pas ma redevance.

— Ah !, ben dis donc ! Ce n'est pas très civique.

— Non je sais, mais franchement la qualité des… des programmes fait que je n'ai pas du tout envie de payer la redevance.

— Ah ! Ben alors ça, c'est étonnant hein, parce que franchement… après on se plaint qu'il y ait trop de pub… et quand même la redevance, ça permet de financer les chaînes publiques.

— C'est vrai, mais si les, les programmes sont meilleurs, à ce moment-là, je paierai ma redevance.

— Bon d'accord !

Information

La publicité de marque est autorisée à la télévision, en France, depuis le 1er octobre 1968 ; auparavant on vantait les mérites des épinards, l'efficacité d'un robot ménager, sans citer la marque du produit.

Son apparition sur les écrans français est tardive en comparaison de certains pays d'Europe : 1955 en Grande Bretagne, 1957 en Italie, 1959 en Allemagne.

La publicité est encadrée et surveillée par le Conseil supérieur de l'audiovisuel (CSA) qui considère le contenu et la forme et impose de respecter certaines règles. Le non-respect de ces règles est sanctionné.

La publicité doit :

– respecter la dignité de la personne humaine

– être conçue dans le respect des intérêts du consommateur

– ne contenir aucun élément choquant

– ne faire apparaître aucune forme de discrimination.

La publicité comparative est autorisée si elle est loyale et véridique. Elle ne doit pas induire le consommateur en erreur, la comparaison doit être objective et ne concerner que des produits de même nature.

Sont interdites les publicités clandestines, les publicités trompeuses et mensongères ainsi que celles qui portent préjudice aux mineurs.

Les présentateurs de journaux et de magazines télévisés ne peuvent intervenir ni verbalement, ni visuellement dans une publicité.

Le recours à des techniques subliminales, comme l'insertion dans une séquence filmée d'une image ou d'un texte indécelable à l'œil nu mais traité par le cerveau, n'est pas autorisé.

Pour des raisons de déontologie et de santé publique certains secteurs sont interdits : il s'agit des armes à feu, de l'assistance juridique, des médicaments prescrits sur ordonnance, de l'alcool, du tabac et des produits en rapport avec le tabac (à l'exception de ceux qui aident à la désaccoutumance).

En ce qui concerne la diffusion, les messages publicitaires doivent être facilement reconnaissables et clairement séparés des programmes. Un panneau doit annoncer le début et la fin de la coupure.

Aucune publicité ne peut interrompre un programme de moins de 30 mn et le volume sonore ne doit pas excéder le volume sonore du programme.

Chapitre 8 — L'**argent**

Échange

A — Bonjour messieurs dames, est-ce que vous acceptez de donner quelques informations à propos de vos revenus ?

B — À propos de nos revenus ?

A — Oui, vos différentes sources de revenus ?

B — Oui !

C — Ça ne sera pas trop indiscret ?

A — Non, non, c'est tout à fait anonyme, ne vous inquiétez pas !

B — Bon…

C — D'accord !

B — D'accord !

A — Alors, est-ce que vous êtes salariés tous les deux ?

B et C — Oui !

A — Oui ? Est-ce que vous avez d'autres sources de revenus que votre salaire ? Monsieur ?

B — Oui, oui, j'ai des revenus immobiliers. J'ai trois appartements, donc trois familles qui sont en location. Donc ça m'assure un revenu complémentaire. •

A — Est-ce que vous avez d'autres... des placements financiers... ?

B — Oui, oui, oui, j'ai quelques revenus de produits financiers, j'ai un portefeuille d'actions, mais vous savez en ce moment hein ! Ça ne donne pas grand chose !

A — Effectivement, et vous madame ?

B — Ben, écoutez, non, moi je suis salariée... fonctionnaire. Bon, c'est vrai que j'ai édité quelques livres, non pas des romans, mais des ouvrages, disons pédagogiques, puisque je suis enseignante...

A — Oui.

B — ... et qui rapportent un peu enfin, j'ai... des droits d'auteurs disons, et puis... c'est vrai que par mon travail parfois des déplacements, j'ai des notes de frais, mais enfin, c'est...

A — Oui, mais ce ne sont pas des revenus supplémentaires.

B — Ni réguliers, non, non.

A — D'accord...

B — Ce sont des petits avantages financiers, disons...

A — Des avantages en nature.

B — Non, en revanche...

A — Est-ce que vous avez des avantages en nature, madame ?

B — Dans mon travail ?

A — Dans votre travail.

B — Oh ben, écoutez, il m'arrive parfois d'aller déjeuner au restaurant aux frais de l'institution qui m'emploie mais... ce n'est pas régulier du tout, non, non...

A — Mais...

B — Des frais de déplacement...

A — D'accord, oui, donc rien de...

B — Non, pas de logement de fonction par exemple...

A — Non ? D'accord !

B — ... ni de véhicule de fonction, j'aimerais bien, mais non...

A — Et vous monsieur ?

B — Oui, j'ai un chauffeur et un véhicule de fonction.

A — Ah ! C'est intéressant, quand même !

C — Oui !

A — Oui ? Alors, j'ai une autre question peut-être qui va peut-être vous paraître un peu saugrenue mais est-ce que vous avez le sentiment d'être parfois malhonnête ? Dans la vie de tous les jours ?

C — Ah, ça non, pas du tout, alors ça, je peux vous le garantir !

B — Jamais, monsieur, vous ne trichez, vous ne fraudez...

C — Non, non... Pourquoi ? Vous trichez vous ?

B — Ben, oui, ça m'arrive, je dissimule au fisc, je dois avouer, parfois, quelques revenus, ce qui m'a valu des déconvenues puisque j'ai eu ce qu'on appelle un redressement fiscal puisque je ne suis peut-être pas assez subtile dans ma manière de tricher ! Et puis... j'avoue parfois que j'utilise à des fins personnelles le téléphone dont je dispose dans mon institution...

A — Oui, et vous monsieur jamais ?

C — Non, jamais ! C'est-à-dire que... au poste que j'occupe, je peux utiliser le téléphone, je ne suis absolument pas contrôlé par mon employeur donc...

A — Oui...

B — Mais vous ne fraudez pas le fisc ?

C — Ah ! non ! Pas de fraude...

B — Vous ne fraudez pas les transports, la SNCF...

C — Bien sûr que non, je ne mange pas de ce pain-là, chère madame !

A — Bien, ben écoutez, je vous remercie de ces réponses qui sont ma foi, très, très directes !

Beaucoup de Français ont le sentiment que l'instauration de l'euro est en grande partie responsable de la très faible progression de leur pouvoir d'achat.

La part du budget consacré au logement est la plus importante. Les prix de l'immobilier à l'achat, combinés à la hausse des loyers sont souvent mis en cause.

Une étude de l'INC (Institut national de la consommation) pointe également la hausse des prix des produits alimentaires et notamment des produits laitiers. Par exemple : le beurre a ainsi enregistré, au niveau mondial, une hausse de 250 % et la poudre de lait a grimpé de 85 %. Autre produit en première ligne : la voiture qui grève le budget des ménages en frais d'entretien, réparations et parking. De même, le poste santé augmente de deux euros par mois du fait de l'augmentation des honoraires des médecins et des cotisations d'assurance.

La montée importante du prix du pétrole laisse prévoir une forte baisse du pouvoir d'achat des Français et certaines professions se sentent menacées, c'est le cas des pêcheurs ou des routiers mais aussi des taxis, des ambulanciers, etc.

La hausse du prix de l'essence à la pompe étant en grande partie répercutée sur le prix des marchandises, on peut donc s'attendre à de nouvelles difficultés pour un grand nombre de Français et plus particulièrement pour ceux qui ont une situation professionnelle précaire.

L'impression d'avoir perdu en pouvoir d'achat est ressentie par une majorité de Français car si les prix de certains produits comme l'électroménager ou les ordinateurs ont effectivement baissé, les prix des biens de première nécessité ont beaucoup augmenté. Ainsi, pour économiser quelques euros, ils fréquentent davantage qu'avant les vide grenier et les brocantes et consultent les sites internet d'échanges de services.

Les « bons plans » permettant de faire des économies se multiplient dans d'autres secteurs comme ceux de la mode, du tourisme ou de la gastronomie.

Chapitre 9 — L'**habitat**

— Alors il paraît que tu veux quitter Paris ?

— Ben oui, écoute hein, on commence vraiment à en avoir marre.

— Ah ! bon ! Pourquoi ? Parce que vous êtes trop à l'étroit, ou qu'est-ce qui se passe ?

— C'est ça, c'est exactement ça quoi, on est quatre dans un petit F3 et on commence à se cogner dans les murs.

— Ah ! Mais, tu as, tu as déjà deux gamins !

— Ben oui ! Tu ne savais pas ?

— Ah ! ben non ! Écoute, excuse-moi ça fait un petit moment qu'on ne s'est pas vues.

— Ben oui ! Puis, mais bon, maintenant, maintenant que les enfants grandissent, on cherche en fait, un logement plus grand.

— Et alors, qu'est-ce que vous allez faire ? Vous allez du côté de la banlieue ou… ?

— Non, non, non la banlieue, c'est hors de question, se taper une heure de trajet tous les jours non, non, c'est non ! Moi j'aurais bien aimé rester à Paris. Mais ce n'est pas possible, c'est hors de prix, c'est hors de prix.

— Et qu'est-ce tu préfères ? Tu cherches plutôt une baraque ou un « appart » ?

— Ben… en fait, du coup, on s'est dit : une maison à la campagne !

— Ah ! oui ! Carrément !

— Ouais, carrément parce que… ben normalement, on devrait s'en sortir mieux.

— D'accord, d'accord. Et alors, vous partez dans quel coin, vous cherchez… ?

— Sud-ouest, on a décidé de chercher dans le Sud-ouest.

— Ah ! dans le Sud-ouest. Alors pourquoi le Sud-ouest ?

— Ben le Sud-ouest parce que, déjà on mange super bien là bas, hein ! Tu… je ne sais pas si tu as déjà goûté les petits magrets, les patates sautées, tout ça ?

— Ah ! ben, le foie gras !

— En plus, Paul est originaire de la région… donc ça nous fait plaisir de retourner là-bas.

— Et tu n'as pas peur d'être collée à tes beaux-parents ? Non ça, ça ne te dérange pas ?

— Oh ! ben, on ne va pas non plus habiter à côté, non, non, non, ça, on va s'arranger. Et puis quand même, à la campagne, c'est une autre qualité de vie, tu vois. On va s'installer…, on, on va quand même payer moins cher, … les taxes d'habitation et les taxes foncières.

— Ouais d'accord, ouais. Et par rapport… au… à la population du Sud-ouest, je ne me rends pas bien compte, c'est une région très peuplée ? Il y a beaucoup de monde ? … C'est comment le Sud-ouest ?

— Ben, ça dépend un petit peu des coins. Alors après, c'est vrai il y a quelque chose qui se passe là, depuis ces dernières années, c'est qu'il y a une invasion d'Anglais, d'Espagnols qui achètent les vieilles maisons et qui les retapent. Alors ça, c'est vrai, ça fait monter un peu les prix mais ça reste de toutes les façons moins cher qu'à Paris.

— Ah oui ! Dans le Périgord, il paraît qu'il y a beaucoup d'Anglais qui se sont installés là, qui ont retapé de vieilles baraques ?

— Alors, c'est bien pour les baraques, parce que comme ça, eux ont les sous pour les retaper, mais en même temps, ça fait monter les prix, mais bon…

— Et qu'est-ce que tu vas faire toi qui es très habituée… à la vie culturelle à Paris, d'aller au théâtre, tu n'as, tu n'as pas peur de t'ennuyer ?

— Ben écoute hein, voilà on va changer de vie, on regardera plus souvent la télévision, on fera des jeux avec les gamins et puis, puis toi tu viendras nous voir hein ? En TGV ? Ça ne sera pas loin.

— Ouais c'est vrai, ouais, c'est trois heures maintenant Bordeaux-Paris ?

— Trois heures !

— Bon ben, super, très bien.

Information

La première source de conflit entre voisins, c'est le bruit. Le seuil des 22 heures est une légende. Tout bruit excessif dans un immeuble ou dans une maison, peut être sanctionné et pas seulement à partir de 22 heures, comme beaucoup le croient.

Le tapage diurne est interdit au même titre que le tapage nocturne et les amendes sont identiques (parfois plus de 450 €).

Dans les immeubles, il est recommandé d'éviter les claquements de talons et de portes, de fermer correctement les volets, d'écouter les radios, télévisions et chaînes hi-fi de manière à ne pas importuner le voisinage.

Dans les zones pavillonnaires, les tondeuses, débroussailleuses, scies mécaniques sont souvent très bruyantes, et leur utilisation est réglementée par arrêté préfectoral.

Les véhicules à moteur, type scooter ou cyclomoteur doivent être équipés d'un échappement d'origine homologué et en bon état.

À l'approche de l'été, la gendarmerie et les services de police municipale renforcent les contrôles. Ce que l'on risque : une amende de 45 € à régler dans les trois jours. Pour les mineurs, les parents sont responsables civilement, c'est-à-dire qu'ils ont l'obligation de réparer le préjudice causé par leur enfant mais ils sont également responsables pénalement, ce qui signifie qu'ils peuvent être jugés par un tribunal pour la faute commise par leur enfant de moins de treize ans.

Pour des raisons de sécurité, les feux de végétaux dans les jardins sont interdits. En revanche, de manière générale, et à moins d'une utilisation très fréquente et très gênante, le barbecue n'est pas considéré comme trouble anormal du voisinage. Dans certaines copropriétés, cependant, le règlement intérieur peut interdire ou encadrer son utilisation.

Quoi qu'il en soit, une règle d'or doit être respectée : ne pas imposer aux autres ce qu'on ne supporte pas soi-même.

Chapitre 10 — Les **déplacements**

Échange

— Oh dis donc, figure-toi que je me suis fait arrêter par la police !

— Ben, qu'est-ce que tu avais fait ?

— Ben je roulais à 80, c'était limité à 70 à cause de la pollution…

— Et tu n'avais pas vu ?

— 120 euros de PV !

— Aie, aie, aie !

— La belle amende !

— Et pas d'alternative ? Tu n'as pas discuté avec le flic ?

— Non, ben tu sais là, il n'y a pas moyen de discuter hein ! C'était... hop ! Vous payez tout de suite et terminé !

— Et tu avais ta ceinture ?

— Oui heureusement !

— Et tu n'avais pas bu ?

Rires

— Ils ne t'ont pas fait souffler dans le ballon ?

— Non, je n'ai pas soufflé dans le ballon, non, non.

— Non, parce que...

— Tu sais bien que je ne bois pas.

— Tu aurais eu la totale, là hein... tu sais que maintenant, ils ne rigolent plus hein ! ...

— Pas d'excès de vitesse, non plus ! Ni alcool, ni vitesse !

— L'alcool, c'est quoi déjà, 5 grammes ?

— 0,5 gramme par litre...

— 0,5 gramme, 0,5...

— 0,5 oui pardon, 0,5...

— ... par litre de sang hein !

— Mais tu n'avais pas bu du tout ?

— Non.

— Bon, aie, aie, et tu avais tout bien..., tes papiers, ta carte grise... tu n'avais rien oublié comme «d'hab» ?

— Oui, oui, et en plus la voiture était passée au contrôle technique la semaine dernière, donc je veux dire, ça va quoi hein...

— Oui !

— C'est ok, quoi !

— Et tu as quand même eu 120 euros ?

— Oui ! 120 euros ! Oui alors ça paraît un peu exagéré ! Je suis bien d'accord hein, il faut des règles hein, bien sûr. Mais, bon...

— Ben oui, mais écoute pff... bon c'est sûr que... c'est sûr que là il s'agit d'un petit excès de vitesse, mais bon, je crois que la répression c'est quand même la clef de la sécurité ! Y compris pour l'alcool, pour les excès de vitesse, tu sais, je crois qu'il ne faut pas compter sur le sens civique de nos concitoyens hein ! Bon, je suis vraiment désolée que ce soit tombé sur toi hein ! Et puis là ce n'est pas bien grave, mais bon !

— Bon, enfin le tout répressif c'est jamais une solution quoi, il faut quand même une marge de tolérance... bon... 10 kilomètres heure de trop, ça me paraît un peu excessif, quoi !

— Bon, oui dans ce cas-là je suis assez d'accord ! Mais bon... c'est à voir !

PLAGE 20

Information

Face à la hausse des prix du carburant, les Français sont bien obligés de trouver des solutions pour économiser sur ce poste de dépenses. Les transports en commun proposent l'alternative la plus intéressante, mais le covoiturage s'inscrit de plus en plus comme une valeur sûre. Longtemps perçu comme une simple tendance, il est, depuis les dernières grèves des transports publics, fortement plébiscité par les Français.

Le covoiturage, qui consiste à regrouper plusieurs personnes dans le même véhicule, pour effectuer tout ou partie d'un trajet en commun, présente de nombreux avantages : convivialité, économies, respect de l'environnement.

C'est en effet un moyen de réduire la pollution et les coûts de trajet mais c'est également une occasion d'échanges entre des personnes d'horizons différents et de là, un instrument de cohésion sociale.

On trouve différents types de covoiturage.

Celui qu'on peut appeler régulier, le plus courant, concerne souvent les trajets de banlieue à banlieue. Il pallie le manque de transports en commun dans certaines agglomérations, le plus souvent pour des trajets domicile-travail.

Le covoiturage ponctuel s'organise parfois pour faire face à des événements exceptionnels, de type grève des transports ou pics de pollution. Mais il concerne essentiellement les départs en vacances ; ainsi il est privilégié par les étudiants qui veulent voyager à moindre frais.

Le covoiturage d'entreprise se développe et s'organise.

Certains patrons font appel à des sociétés qui mettent en relation des employés effectuant les mêmes trajets. Les entreprises encouragent ce mode de déplacement car son utilisation permet de limiter le stress, d'atténuer la fatigue au quotidien et de réduire l'absentéisme.

Relativement développé dans les grandes agglomérations, il s'internationalise depuis la France vers l'Europe. Écologique et économique, le covoiturage, dorénavant organisé, a le vent en poupe et apparaît comme une solution d'avenir.

Chapitre *11* – L'**école**

Échange

— Bonjour madame, vous pouvez prendre place !

— Merci, ... je suis la déléguée des parents d'élèves de la classe de troisième.

— Ah ! D'accord !

— Donc, je souhaitais vous rencontrer pour voir un petit peu comment se passaient les choses dans cette classe.

— D'accord, je vous remercie, je suis bien content de vous voir. Alors, je suis... j'interviens à double... avec une double casquette, hein ! Je suis à la fois professeur principal et professeur de français de la classe. Bon, la classe globalement, bon, c'est une classe, je dirais correcte.

— Oui...

— Avec, malgré tout, quelques petits problèmes de comportement pour trois élèves... un bon milieu de classe et puis quatre élèves qui n'ont aucune difficulté.

— Oui, et vous, par rapport aux élèves qui ont des difficultés, que comptez-vous faire ?

— Alors, pour les élèves en difficulté scolaire, on prévoit des séances de soutien. C'est une proposition qui est faite donc... aux familles sur la base du volontariat !

— Oui !

— ... Ils peuvent venir en classe le samedi matin, ce sont des professeurs de l'établissement qui les prennent en charge.

— Ah ! oui, très bien, très, très bien !

— C'est un soutien individualisé.

— Ah ! ben, c'est parfait. Je pense que pour certains élèves, c'est exactement ce qu'il faut. Oui d'accord ! ... En ce qui concerne, si je peux me permettre, mon fils. J'ai reçu son bulletin trimestriel et j'avoue que les commentaires... m'inquiètent un peu... ! Qu'en pensez-vous ?

— Oui, justement, votre fils fait partie des quelques élèves qui posent des problèmes effectivement, et notamment des problèmes de comportement...

— Ah oui ?

— Il y a trois élèves agités dans la classe... et... bon, je dois dire que, bon... on a été obligé de coller votre fils la semaine dernière...

— Oui, j'ai vu, oui... Effectivement, j'ai vu ça, oui...

— Je vous ai bien mis un mot sur le carnet de liaison, hein ?

— Oui, bien sûr que j'ai vu...

— Et son comportement devient inadmissible, il faut que les choses changent !

— Ben, écoutez, bon, nous allons reprendre les choses en main avec son père et puis, bon, n'hésitez pas à nous signaler quoi que ce soit sur le bulletin trimestriel et le carnet de liaison hein ?

— Oui, oui bien sûr...

— Vous avez mon téléphone d'ailleurs hein ?

— Oui, bien sûr mais je peux déjà vous dire : les devoirs ne sont pas toujours faits, le travail à la maison est très insuffisant !

— Ben, c'est-à-dire moi je n'ai pas le temps, vous savez, je n'ai pas le temps de m'en occuper, c'est... je finis tard et c'est vraiment très difficile pour moi !

— Oui, mais je pense qu'il est quand même de votre responsabilité de le prendre en charge...

— Oui, tout à fait, bien sûr, bien sûr, tout à fait ! Bien, écoutez, je vais faire un compte-rendu donc...

— Le professeur de musique a noté un absentéisme de la part de votre fils !

— Ah ? Ah ! bon ? Alors là, vous savez, je ne suis pas au courant, tiens ! Je n'ai pas été prévenue !

— Je pense que vous pouvez le rencontrer puisqu'il est dans la salle à côté !

— Et bien, c'est exactement ce que je vais faire. Bon, écoutez, je vous remercie ! Donc, je fais un compte-rendu et je contacte les parents d'élèves, donc pour les informer.
— D'accord... donc on se revoit le semestre prochain !
— Ça me paraît très bien, merci. Au revoir, monsieur !
— Au revoir, madame.

Information

Le règlement intérieur
En France, la vie de chaque établissement scolaire est régie par un règlement intérieur. Ce règlement intérieur est la loi qui régule le fonctionnement de l'établissement, et les relations entre les différentes catégories de personnes qui le fréquentent : élèves, professeurs, surveillants, personnel administratif et d'entretien.
Il est voté par le Conseil d'Administration, qui comporte des représentants de l'administration, mais aussi des représentants élus des personnels, enseignants ou techniques, et des usagers, parents et élèves. De manière générale, il indique quels sont les droits et les devoirs des élèves, et quelles sont les sanctions qu'ils encourent en cas de manquement à ce règlement.
Le règlement intérieur, s'il est propre à chaque établissement, doit respecter la loi en vigueur en France. Ainsi, les établissements scolaires sont concernés par la loi qui interdit de fumer dans les endroits fréquentés par du public. On ne peut donc pas écrire dans le règlement intérieur d'un établissement scolaire qu'on peut y fumer.
Certaines règles sont des règles de politesse, imposées par l'usage : il est interdit de manger ou de boire pendant les cours, ou de garder une casquette sur la tête, ou encore d'utiliser un téléphone portable.
D'autres règles sont différentes selon l'âge des élèves. Dans un collège, il est interdit de quitter le collège entre deux heures de cours, alors que les élèves d'un lycée peuvent généralement le faire, et choisissent entre la salle d'étude et le café du coin...

Chapitre *12* — L'**enseignement supérieur**

Échange

— Bonjour Annabelle.
— Bonjour.
— Alors tu fais des études dans cette université... tu fais quoi exactement ?
— Je fais un master recherche en lettres, en langues et civilisation françaises.
— D'accord ! Tu as donc bac + 5 ?
— Oui, j'ai un bac + 5 mais j'ai fait une année de «prépa» littéraire.
— D'accord ! Et dans quel but ?
— Ben le but, c'était d'intégrer... une grande école, comme *Normale sup* par exemple, mais je me suis vite aperçue que c'était... que c'était trop difficile, il y avait beaucoup de travail et puis j'avais peu de chance de réussir le concours, alors...
— Beaucoup de candidats par rapport aux places disponibles, c'est ça ?
— Voilà ! Donc je suis entrée en deuxième année d'université.
— D'accord ! Et donc... tu as décidé de te tourner vers l'enseignement, je pense puisque... ?
— Oui, oui enfin j'ai toujours voulu faire ça. J'ai toujours voulu faire de l'enseignement donc je vais finir mon master, ensuite je ferai mon doctorat et quand j'aurai soutenu ma thèse j'essaierai de trouver un poste de maître de «conf».
— Oui, ... donc oui, parce qu'il n'y a pas d'autres débouchés de toute façon et... tu es prête à quitter la région ?
— Oui, oui, je suis prête à quitter la région, si on m'offre un poste ailleurs. De toute façon, je n'ai pas, pas vraiment le choix donc j'irai là où un poste s'offre à moi.
— D'accord ! Et est-ce que tu as rencontré des difficultés particulières dans ta vie d'étudiante ? Est-ce que ça a été un grand changement après la «prépa» ?
— Oui, après la prépa, quand je suis arrivée à la fac c'était, oui, c'était très différent parce que... j'arrivais du lycée, la prépa était toujours, toujours au lycée, donc être livrée à soi-même c'était pas, ce n'était pas évident : organiser son travail, il y avait beaucoup de monde dans les amphis. C'était, ouais, c'était vraiment

très différent, oui, ça a été un peu difficile.

— Et l'aspect pratique était problématique ? Se loger, se nourrir.... ?

— Non, là moins. Je n'avais pas trop de difficultés de, de cet ordre, j'étais logée en cité U. Le CROUS m'a bien aidée. J'ai trouvé une chambre et puis ben financièrement je faisais des petits boulots, des petits boulots l'été.

— D'accord ! Est-ce que tu as participé à des manifestations d'étudiants ? Est-ce que tu es impliquée dans la vie... ?

— Oui, oui, je suis membre d'un, d'un syndicat, je suis membre de, de l'UNEF oui. Le fonctionnement de mon université me, me préoccupe beaucoup. Je suis très impliquée et puis je trouve que c'est une démarche citoyenne et que c'est important.

— Et tu t'es présentée à des postes... ?

— Oui, oui.

— Au syndicat ?

— Oui. Je me suis présentée comme représentante étudiante au conseil d'administration de l'université et j'y siège, là depuis 2 ans maintenant.

— Bon, ben je te remercie.

— Au revoir.

— Au revoir.

Information

« Les étudiants sont dans la rue », « Manifestations étudiantes », « Grève dans les universités », « Contestation dans les facs de médecine ». Ces titres de journaux reviennent chaque année et ne semblent plus étonner les Français. Les gouvernements successifs, conscients du malaise exprimé par les étudiants, engagent des réformes qui, bien souvent, provoquent à leur tour des mécontentements. Pourquoi ce cercle vicieux ? L'université française va-t-elle si mal ?

Les craintes des étudiants sont bien réelles, elles reposent sur de vrais problèmes liés à la qualité de la formation et aux débouchés, à l'issue de leurs études.

L'échec massif en premier cycle est catastrophique ; on estime en effet à 80 000 le nombre d'étudiants qui sortent chaque année sans diplôme. Il est donc indispensable de mieux orienter les bacheliers et de permettre à ceux qui ont fait un mauvais choix de changer d'orientation au cours de leur formation.

Les étudiants de première année ont souvent besoin d'un meilleur encadrement. En effet, au sortir du lycée, beaucoup d'entre eux ont du mal à organiser leur travail, ils ont souvent peu d'heures de cours mais beaucoup de travail personnel. La mise en place de tutorat devrait les aider et les rassurer.

Il est vrai que les débouchés professionnels de certaines filières, dites classiques, sont peu nombreux, mais, depuis dix ans, les filières professionnalisantes se multiplient et sont reconnues par les entreprises.

À ces inquiétudes liées à leurs études, il faut ajouter les difficultés financières de nombreux étudiants. La démocratisation de l'enseignement supérieur a ouvert les portes de l'université à des jeunes issus de familles à revenus modestes. Ceux-ci peuvent bien sûr, dans certains cas, bénéficier de bourses, mais elles sont peu élevées et de nombreux étudiants doivent exercer des petits boulots pour vivre. Le gouvernement, conscient de l'importance de l'enseignement supérieur et de la recherche, s'est engagé à augmenter le nombre et le montant des bourses octroyées aux étudiants en difficulté. En 2008, 500 000 étudiants ont reçu une bourse et le ministre a annoncé pour les années à venir une augmentation de 10 % du nombre des bénéficiaires.

Les dernières réformes suffiront-elles à calmer la contestation estudiantine ? On peut en douter. Les mouvements étudiants sont aussi vieux que l'université : au XVe siècle, la Sorbonne avait déjà connu neuf mois de grève !

Chapitre *13* — Le **travail**

Échange

— Bonjour, messieurs dames !

— Bonjour !

— Je vous remercie d'avoir accepté de répondre à notre enquête sur l'emploi ! ... Je voudrais savoir quelle est votre profession, madame ?

— Je suis restauratrice !

— Oui, et vous monsieur ?

— Je suis professeur.

— Oui, professeur de...

— Professeur de français.

— Professeur de français ! Quels sont vos horaires de travail, madame ?

— Oh, écoutez... je ne peux pas vous dire précisément, mes horaires de travail sont très élastiques et très variables. Disons que je peux commencer vers 8 heures le matin et il m'arrive de finir à 23 heures avec bien évidemment une pause l'après midi.... hein... mais en gros je travaille 12 heures par jour.

— Et vous, monsieur ?

— Alors, en ce qui me concerne je dois faire 18 heures hebdomadaire en face-à-face pédagogique comme on dit ! Et puis plus... plus du double hein, à la maison pour préparer les cours, ... corriger les copies, me former, m'informer !

— Quelle est votre rémunération ? Si ce n'est pas trop indiscret, ou au moins quelle est la fourchette où se situe votre rémunération ?

— Excusez-moi mais... je trouve que la question est indiscrète... Mon mari et moi, puisque nous sommes associés dans la... dans la gestion de cet établissement, nous vivons bien, disons que probablement nous vivons mieux qu'un fonctionnaire, nous avons... suffisamment d'argent pour nos loisirs... nous pouvons... nous sommes propriétaires de notre résidence principale, nous avons une résidence secondaire et deux véhicules. Voilà, bon... nous avons des frais, nous devons investir, mais bon, ça va... Mais je préfère ne pas donner de précisions !

— Bien ! Et vous, monsieur ?

— Alors, en ce qui me concerne, je suis fonctionnaire d'État, donc il est facile de savoir quelle est ma rémunération...

— Oui !

— ... à quoi on peut rajouter éventuellement quelques indemnités pour conseils de professeurs, conseils de classe et parfois des heures supplémentaires.

— D'accord...

— Alors, je peux me positionner par rapport à monsieur, je gagne... je gagne plus que monsieur mais je travaille beaucoup plus également !

— D'accord... Quels sont les avantages...

— Je n'ai rien à rajouter !

Rires

— ...quels sont les avantages et les inconvénients de votre profession, monsieur ?

— Alors les avantages de ma profession, c'est surtout le contact avec la jeunesse, donc je dirais que quand on est un enseignant efficace qui fait bien son métier, on ne peut pas vieillir ! On est toujours en contact avec je dirais, la frange la plus jeune de la population, donc, ...le contact ! La transmission, la transmission du savoir... quelle merveille, hein, d'entendre des enfants parler avec la voix de Voltaire ou Rousseau ! Donc... voilà ! Pour les avantages, c'est ça, c'est cet aspect dynamique ! Pour les inconvénients, bon, c'est peut-être parfois une certaine rigidité au niveau de l'institution, une certaine lenteur au niveau des prises de décisions, un programme parfois trop rigide, etc. Des démarches administratives trop longues pour organiser une activité culturelle ! Mais, bon, nous faisons partie de la fonction publique, il y a un contrôle public... je ne me plains pas !

— Oui, vous aimez votre travail !

— J'aime mon travail, je vous l'ai dit !

— Visiblement !

— Oui, oui bien sûr.

— Et vous, madame ?

— Et bien, je rejoindrais monsieur dans l'idée du contact…

— … parce que lui, il aime le contact avec la jeunesse, avec les enfants, moi, ce que j'aime dans mon travail, c'est le contact avec la clientèle.

— Oui…

— Alors, évidemment, on a la clientèle qu'on se fait, qu'on choisit… moi, j'aime les gens qui fréquentent mon établissement… souvent ce sont des gens… des habitués que l'on peut revoir. J'aime beaucoup rencontrer des gens très divers ! Parce que dans un restaurant il vient des gens… de toutes catégories.

— De toutes les couches sociales !

— Oui, oui parce que nous sommes une brasserie donc ce sont, c'est un restaurant de déjeuners essentiellement et vraiment… j'aime ça ! … En ce qui concerne les inconvénients, bon ce sont les horaires bien sûr, …c'est la fatigue physique aussi qui est liée à… au fait qu'on est tout le temps debout… et puis la prise de risque au niveau financier…

— Oui !

— … qui quand même a été permanente pendant quelques années ! Maintenant c'est plus confortable, mais…

— et au niveau administratif ?

— Ben, oui il y a le problème de la gestion comptable… et puis la gestion du personnel puisque le personnel, dans la restauration malheureusement, n'est pas un personnel très, très stable, puisque… les horaires sont lourds, les rémunérations ne sont pas très élevées donc… nous essayons effectivement de fidéliser notre personnel par des avantages divers mais ce n'est pas facile à gérer !

Information

En matière de travail, les Français font l'objet de nombreux préjugés. Une réputation qui repose plus sur des clichés que sur une réalité tangible…

Le débat sur la réduction du temps de travail, RTT, qui a abouti à la mise en place de la loi sur les 35 heures hebdomadaires en 2000, a contribué à répandre l'idée que les Français n'aimaient pas travailler. Cette idée a été alimentée par la polémique à propos de l'éventuel assouplissement des règles qui encadrent le travail le dimanche et par les réactions suscitées par l'expression, «travailler plus pour gagner plus», chère au président Sarkozy.

En outre, la médiatisation de certains conflits sociaux a laissé supposer que les Français étaient souvent en grève.

Qu'en est-il en réalité ?

En ce qui concerne les grèves il y en a de moins en moins depuis 1985. Elles sont souvent moins longues et moins fréquentes que dans d'autres pays mais comme elles touchent essentiellement les services centraux, elles sont très visibles.

Si on considère le nombre d'heures travaillées par an, les Français travaillent moins que les Anglais, mais plus que les Allemands et l'OCDE (Organisation pour la coopération et le développement économique) place la France à la première place au monde en termes de productivité horaire.

Les hexagonaux ont également la réputation d'être toujours en vacances.

La loi prévoit pour les salariés un minimum de cinq semaines de congés payés par an, auxquels s'ajoutent les jours fériés. Les Français, en 2008, n'arrivaient, avec 36 jours par an, qu'en quatrième position derrière les Suédois, les Allemands et les Italiens.

Contrairement à ce que l'on pourrait penser, les Français aiment leur travail, ils ne traînent pas des pieds pour aller travailler et la majorité des actifs perçoivent leur activité professionnelle comme un facteur d'épanouissement. Ils attachent beaucoup d'importance à la qualité des conditions de travail qu'ils placent devant le niveau de rémunération.

Table des matières